1580242707

中华人民共和国国家标准

有色金属工程设备基础技术规范

Technical code for equipment foundation of
nonferrous metals engineering

GB 51084-2015

主编部门：中国有色金属工业协会
批准部门：中华人民共和国住房和城乡建设部
施行日期：2015年10月1日

中国计划出版社

2015 北 京

中华人民共和国国家标准
有色金属工程设备基础技术规范
GB 51084-2015

☆

中国计划出版社出版
网址：www.jhpress.com
地址：北京市西城区木樨地北里甲 11 号国宏大厦 C 座 3 层
邮政编码：100038　电话：(010) 63906433 (发行部)
新华书店北京发行所发行
北京市科星印刷有限责任公司印刷

850mm×1168mm　1/32　8 印张　204 千字
2015 年 9 月第 1 版　2015 年 9 月第 1 次印刷

☆

统一书号：1580242·707
定价：44.00 元

版权所有　侵权必究
侵权举报电话：(010) 63906404
如有印装质量问题，请寄本社出版部调换

中华人民共和国住房和城乡建设部公告

第 733 号

住房城乡建设部关于发布国家标准《有色金属工程设备基础技术规范》的公告

现批准《有色金属工程设备基础技术规范》为国家标准，编号为 GB 51084—2015，自 2015 年 10 月 1 日起实施。其中，第 3.1.15、3.2.10、4.1.4 条为强制性条文，必须严格执行。

本规范由我部标准定额研究所组织中国计划出版社出版发行。

中华人民共和国住房和城乡建设部
2015 年 2 月 2 日

前　言

本规范是根据原建设部《关于印发 2006 年工程建设标准制订、修订计划（第二批）的通知》（建标〔2006〕136 号）的要求，由中国有色金属工业工程建设标准规范管理处、中国恩菲工程技术有限公司会同有关单位共同编制完成。

本规范在编制过程中，编制组通过广泛调查研究，总结经验，专题讨论，并参考有关国内外标准，在广泛征求意见的基础上，通过反复讨论、修改和完善，最后经审查定稿。

本规范共分 11 章和 5 个附录，主要内容包括总则，术语和符号，基本规定，隔振设计，破碎机、磨机基础，提升、选别设备基础，往复式机器基础，旋转式机器基础，加工类设备基础，储罐设备基础，施工、安装、测试与防护等。

本规范中以黑体字标志的条文为强制性条文，必须严格执行。

本规范由住房和城乡建设部负责管理和对强制性条文的解释，由中国有色金属工程建设标准规范管理处负责日常管理，由中国恩菲工程技术有限公司负责具体技术内容的解释。执行过程中如有意见或建议，请寄送中国恩菲工程技术有限公司《有色金属工程设备基础技术规范》编制组（地址：北京市复兴路 12 号，邮政编码：100038），以供今后修订时参考。

本规范主编单位、参编单位、主要起草人和主要审查人：
　　主 编 单 位：中国有色金属工业工程建设标准规范管理处
　　　　　　　　中国恩菲工程技术有限公司
　　参 编 单 位：中冶建筑研究总院有限公司
　　　　　　　　中色科技股份有限公司
　　　　　　　　长沙有色冶金设计研究院有限公司

贵阳铝镁设计研究院有限公司
兰州有色冶金设计研究院有限公司
西安冶金设计研究院
甘肃土木工程科学研究院
十四冶建设云南勘察设计有限公司
十一冶建设集团有限责任公司

主要起草人：张应之　王锡康　刘茂盛　盛吉鼎　田治友
　　　　　　段建华　易文新　马秋建　曾力平　李　波
　　　　　　王　森　陈军武　张　晋　高艳平　王黎民
　　　　　　周　峰　李寿明　林　伟　张　哲　刘向荣
　　　　　　李晔东　高　晰　邱俊民　陈天雷　李志毅
　　　　　　邓金鹏　陈崇海
主要审查人：王立军　蒋　通　张　建　潘复兰　林孔平
　　　　　　杨文君　张维斌　李永录　刘景政　李大浪
　　　　　　陈劲松　龚　佳　武凤坤

目　次

1 总　则 …………………………………………………… （ 1 ）
2 术语和符号 ……………………………………………… （ 2 ）
　2.1 术语 ………………………………………………… （ 2 ）
　2.2 符号 ………………………………………………… （ 3 ）
3 基本规定 ………………………………………………… （ 8 ）
　3.1 设计原则 …………………………………………… （ 8 ）
　3.2 地基和基础的计算规定 …………………………… （ 11 ）
　3.3 地基动力特征参数 ………………………………… （ 20 ）
　3.4 构造要求 …………………………………………… （ 32 ）
4 隔振设计 ………………………………………………… （ 36 ）
　4.1 一般规定 …………………………………………… （ 36 ）
　4.2 隔振体系的设计参数 ……………………………… （ 39 ）
　4.3 隔振计算 …………………………………………… （ 41 ）
　4.4 隔振材料、隔振器与阻尼器 ……………………… （ 44 ）
5 破碎机、磨机基础 ……………………………………… （ 51 ）
　5.1 破碎机基础 ………………………………………… （ 51 ）
　5.2 磨机基础 …………………………………………… （ 54 ）
　5.3 其他滚筒类机器基础 ……………………………… （ 56 ）
6 提升、选别设备基础 …………………………………… （ 57 ）
　6.1 提升机基础 ………………………………………… （ 57 ）
　6.2 摇床基础 …………………………………………… （ 60 ）
　6.3 其他机器基础 ……………………………………… （ 65 ）
7 往复式机器基础 ………………………………………… （ 67 ）
　7.1 活塞式压缩机基础 ………………………………… （ 67 ）
　7.2 隔膜泵基础 ………………………………………… （ 71 ）
8 旋转式机器基础 ………………………………………… （ 72 ）

8.1 一般规定 (72)
 8.2 低转速电动机基础 (73)
 8.3 汽轮发电机组基础 (75)
 8.4 透平压缩机组基础 (82)
 8.5 构造要求 (85)
9 加工类设备基础 (89)
 9.1 一般规定 (89)
 9.2 基础布置及形式 (91)
 9.3 荷载及其组合 (93)
 9.4 地基和基础的计算规定 (94)
 9.5 构造要求 (95)
 9.6 沉降观测 (98)
10 储罐设备基础 (99)
 10.1 一般规定 (99)
 10.2 筏板式基础 (101)
 10.3 筒(柱)承式基础 (102)
 10.4 柔性基础 (105)
11 施工、安装、测试与防护 (111)
 11.1 岩土与基础施工 (111)
 11.2 机器的安装 (113)
 11.3 基础的测试 (116)
 11.4 基础的防护 (116)
附录A 简谐荷载作用下基础的振动计算 (119)
附录B 部分机器的动力荷载计算 (135)
附录C 基础质量与机器质量比 (149)
附录D 常用隔振器的动力性能参数计算 (151)
附录E 地脚螺栓 (161)
本规范用词说明 (172)
引用标准名录 (173)
附：条文说明 (175)

Contents

1 General provisions (1)
2 Terms and symbols (2)
   2.1 Terms (2)
   2.2 Symbols (3)
3 Basic requirements (8)
   3.1 Principle of design (8)
   3.2 Requirements for design and calculation of subsoil and foundation (11)
   3.3 Dynamic characteristic parameters of subsoil (20)
   3.4 Construction requirements (32)
4 Design of vibration isolation (36)
   4.1 General requirements (36)
   4.2 Design parameters of vibration isolation system (39)
   4.3 Calculation of vibration isolation (41)
   4.4 Materials of vibration isolation, isolator and damper (44)
5 Foundation for crusher and mill (51)
   5.1 Foundation for crusher (51)
   5.2 Foundation for mill (54)
   5.3 Foundation for other roller machines (56)
6 Foundation for hoist and separation machine (57)
   6.1 Foundation for hoister (57)
   6.2 Foundation for shaking table (60)
   6.3 Foundation for other machines (65)
7 Foundation for reciprocating machine (67)
   7.1 Foundation for compressor (67)

7.2　Foundation for diaphragm pump ……………………（71）
8　Foundation for rotary machine ………………………（72）
　8.1　General requirements …………………………………（72）
　8.2　Foundation for slow-speed motor ……………………（73）
　8.3　Foundation for turbogenerator ………………………（75）
　8.4　Foundation for turbine compressor …………………（82）
　8.5　Construction requirements ……………………………（85）
9　Foundation for processing machine …………………（89）
　9.1　General requirements …………………………………（89）
　9.2　Layout and type of foundation ………………………（91）
　9.3　Load and load combination ……………………………（93）
　9.4　Requirements for design and calculation of
　　　 subsoil and foundation …………………………………（94）
　9.5　Construction requirements ……………………………（95）
　9.6　Settlement observation …………………………………（98）
10　Foundation for tank …………………………………（99）
　10.1　General requirements …………………………………（99）
　10.2　Raft foundation ………………………………………（101）
　10.3　Foundation under cylinder wall (column) bearing ………（102）
　10.4　Flexible foundation …………………………………（105）
11　Construction, installation, observation
　　 and protection …………………………………………（111）
　11.1　Soil and construction of foundation ………………（111）
　11.2　Installation of machine ………………………………（113）
　11.3　Observation of foundation …………………………（116）
　11.4　Protection of foundation ……………………………（116）
Appendix A　Calculation of foundation vibration under
　　　　　　 harmonic force …………………………………（119）
Appendix B　Calculation of dynamic load for
　　　　　　 some machines …………………………………（135）

Appendix C Mass ratio of foundation to machine .... (149)

Appendix D Calculation of common isolator
            dynamic parameters .... (151)

Appendix E Anchor bolt .... (161)

Explanation of wording in this code .... (172)

List of quoted standards .... (173)

Addition: Explanation of provisions .... (175)

1 总则

1.0.1 为了在有色金属工程设备基础设计中贯彻执行国家的技术经济政策,做到安全、适用、经济,确保符合正常生产和环境对振动控制的要求,制定本规范。

1.0.2 本规范适用于有色金属工程采矿、选矿、冶炼、加工等生产系统的设备基础工程的设计、施工及验收。

　　本规范不适用于配置在楼板上的动力机器基础,以及各种冶炼炉、窑、烟囱基础工程的设计、施工及验收。

1.0.3 有色金属工程设备基础设计、施工及验收除应符合本规范外,尚应符合国家现行有关标准的规定。

2 术语和符号

2.1 术　　语

2.1.1 设备基础　　equipment foundation
支承机器、设备并将其作用传递到地基上的结构。

2.1.2 动力机器　　dynamic machine
同时具有静力和动力两种作用的设备。

2.1.3 基组　　foundation set
设备基础和基础上的机器、附属设备、填土的总称。

2.1.4 动力荷载的标准值　　characteristic value of dynamic load
动力机器在正常运转时产生的动力作用。

2.1.5 动力荷载的设计值　　design value of dynamic load
动力荷载的标准值与分项系数及荷载动力系数的乘积。

2.1.6 当量荷载　　equivalent load
与作用于基组上动力荷载效应相当的静荷载。

2.1.7 基础质量与机器质量比　　mass ratio of foundation to machine
动力机器基础不作振动计算时，采用的基础质量与机器及其携带物料总质量之比的最小值。

2.1.8 地基刚度　　stiffness of subsoil
地基抵抗变形的能力，其值为施加于地基上的力、力矩与它引起的线位移、角位移之比。

2.1.9 构架式基础　　frame type foundation
由顶层梁板、柱和底板连接而构成的机器支承结构。

2.1.10 墙式基础　　wall type foundation
由顶板、纵横墙和底板连接而构成的机器支承结构。

2.1.11 大块式基础　massive foundation
断面大的实体混凝土基础。

2.1.12 地坑式基础　pit foundation
具有钢筋混凝土底板和外围挡土墙形似地坑的机器支承结构。

2.1.13 护坡式基础　slope protected foundation
由储罐外的混凝土护坡或碎石护坡和护坡内的填料层、砂石垫层、沥青砂绝缘层共同组成的储罐基础。

2.1.14 环墙式基础　ringwall foundation
由储罐下的钢筋混凝土环墙和环墙内的填料层、砂石垫层、沥青砂绝缘层共同组成的储罐基础。

2.1.15 隔振体系　vibration isolating system
由隔振对象、台座结构、隔振器和阻尼器组成的体系。

2.1.16 隔振器　isolator
具有衰减振动功能的支承元件。

2.1.17 阻尼器　damper
用能量损耗的方法减小振动幅值的装置。

2.1.18 传递率　transmissibility
主动隔振时,为隔振体系在扰力作用下的输出振动线位移与静位移之比;被动隔振时,为隔振体系的输出振动线位移与支承结构或地基处的振动线位移之比。

2.2 符　　号

2.2.1 作用和作用效应

P_{zk}——机器的竖向扰力标准值;

P_z——机器的竖向扰力设计值;

P_{xk}——机器的水平扰力标准值;

P_x——机器的水平扰力设计值;

$M_{\theta k}$——机器的回转扰力矩标准值;

$M_{\varphi k}$——基组绕 y 轴回转的扰力矩标准值;

$M_{\psi k}$——机器的扭转扰力矩标准值;

N_x、N_y、N_z——机器的水平向、竖向当量荷载值;

N_k——相应于荷载效应标准组合时,桩顶的荷载标准值;

F_k——作用于桩基承台顶面的竖向力标准值;

G_k——桩基承台和承台上土重的标准值;

P_k——相应于作用的标准组合时,基础底面处的平均静压力标准值;

d_z——基组质心处的竖向振动线位移;

d_x、d_y——基组质心处或基础构件控制点的水平向振动线位移;

d_ψ——顶板的扭转振动角位移;

$d_{x\psi}$——基础顶面角点由于扭转振动产生沿 x 轴向的水平振动线位移;

$d_{y\psi}$——基础顶面角点由于扭转振动产生沿 y 轴向的水平振动线位移;

$d_{z\varphi}$——基础顶面控制点由于 x 向水平绕 y 轴回转耦合振动产生的竖向振动线位移;

$d_{x\varphi}$——基础顶面控制点由于 x 向水平绕 y 轴回转耦合振动产生的 x 向水平振动线位移;

$d_{z\theta}$——基础顶面控制点由于 y 向水平绕 x 轴回转耦合振动产生的竖向振动线位移;

$d_{y\theta}$——基础顶面控制点由于 y 向水平绕 x 轴回转耦合振动产生的 y 向水平向振动线位移;

n——机器的工作转速;

ω——机器的扰力圆频率;

ω_{nz}——基组的竖向固有圆频率;

ω_{nx}——基组 x 向水平固有圆频率;

$\omega_{n\varphi}$——基组绕 y 轴回转固有圆频率;

$\omega_{n\theta}$——基组绕 x 轴回转固有圆频率;

$\omega_{n\psi}$——基组的扭转振动固有圆频率;

$\omega_{n\varphi 1}$——基组 x-φ 向耦合振动第一振型的固有圆频率;

$\omega_{n\varphi 2}$——基组 x-φ 向耦合振动第二振型的固有圆频率;

$\omega_{n\theta 1}$——基组 y-θ 向水平回转耦合振动第一振型的固有圆频率;

$\omega_{n\theta 2}$——基组 y-θ 向水平回转耦合振动第二振型的固有圆频率;

d_f——基础顶面控制点的总振动线位移;

v_f——基础顶面控制点的总振动速度;

a_f——基础顶面控制点的总振动加速度。

2.2.2 计算指标

C_z——天然地基的抗压刚度系数;

C_φ——天然地基的抗弯刚度系数;

C_x——天然地基的抗剪刚度系数;

C_ψ——天然地基的抗扭刚度系数;

C_{pz}——桩尖土的当量抗压刚度系数;

$C_{p\tau}$——桩周土的当量抗剪刚度系数;

K_z——天然地基的抗压刚度;

K_θ、K_φ——天然地基的抗弯刚度;

K_x、K_y——天然地基的抗剪刚度;

K_ψ——天然地基的抗扭刚度;

K_{pz}——桩基的抗压刚度;

$K_{p\varphi}$、$K_{p\theta}$——桩基的抗弯刚度;

K_{px}、K_{py}——桩基的抗剪刚度;

$K_{p\psi}$——桩基的抗扭刚度;

ζ_z——天然地基竖向阻尼比;

$\zeta_{x\varphi 1}$——天然地基的 x-φ 向水平回转耦合振动第一振型

阻尼比；

$\zeta_{x\varphi 2}$——天然地基的 x-φ 向水平回转耦合振动第二振型阻尼比；

$\zeta_{y\theta 1}$——基组 y-θ 向耦合振动第一振型天然地基、桩基的阻尼比；

$\zeta_{y\theta 2}$——基组 y-θ 向耦合振动第二振型天然地基、桩基的阻尼比；

ζ_{ψ}——天然地基扭转向阻尼比；

ζ_{pz}——桩基的竖向阻尼比；

$\zeta_{px\varphi 1}$——桩基水平回转耦合振动第一振型阻尼比；

$\zeta_{px\varphi 2}$——桩基水平回转耦合振动第二振型阻尼比；

$\zeta_{p\psi}$——桩基的扭转向阻尼比；

f_{ak}——地基承载力特征值；

f_a——修正后的地基承载力特征值；

$[d]$——基础的容许振动线位移；

$[v]$——基础的容许振动速度；

$[a]$——基础的容许振动加速度；

m——基组质量。

2.2.3 几何参数

A——基础底面积；

A_p——桩的截面面积；

$A_{p\tau}$——各层土中的桩周表面积；

I_x、I_y——基础底面通过其形心轴的惯性矩；

J_x、J_y——基组质量通过其质心轴的转动惯量；

I_z——通过基础底面形心轴的极惯性矩；

J_z——基组通过其质心轴的极转动惯量；

h_0——水平扰力作用线至基础顶面的距离；

h_1——基组质心至基础顶面的距离；

h_2——基组质心至基础底面的距离。

2.2.4 计算系数及其他

α_1——考虑动力机器工作的重要性,对地基承载力的折减系数;

α_2——动力机器作用下地基土的工作条件系数;

α_3——考虑动力机器工作的重要性及桩的类型对桩基承载力的影响系数;

α_z——基础埋深作用对地基抗压刚度的提高系数;

α_L——基础与刚性地面相连时,地基刚度的提高系数;

$\alpha_{x\varphi}$——基础埋深作用对地基抗剪、抗弯、抗扭刚度的提高系数;

β_z——竖向振动阻尼比的提高系数;

$\beta_{x\varphi}$——水平向、水平旋转向、扭转向振动阻尼比的提高系数;

δ_b——基础埋深比;

E_0——地基土的变形模量。

3 基本规定

3.1 设计原则

3.1.1 设备基础设计时,应取得下列资料:

1 设备的质量及质心位置。

2 动力机器的名称、类型、转速、功率及运动部件的质量、永久荷载的大小,作用位置及方向。

3 设备底座的外轮廓图、设计标高及安装要求、直接搁置或者螺栓固定要求等;辅助设备、管道位置和基础上需要的坑、沟、孔洞的尺寸;灌浆层的要求,地脚螺栓和预埋件的尺寸和位置等。

4 正常运转时动力荷载的大小、频率、作用点及作用方向,事故状态时荷载值及其分布。

5 动力机器自带减振装置的类型、规格、位置及与基础的连接形式等。

6 设备基础的配置简图含距建筑物基础和其他设施之间的相对尺寸。

7 建设场地的工程地质勘察资料,地基土的动力试验资料等。

8 设备运行中环境因素的有关资料。

9 本规范各章节对各种类型机器要求的其他资料。

10 机器、设备资料应由供货的制造厂商提供,并应经工艺设计专业认定。

3.1.2 设备基础应力求配置合理、受力明确、构造简单,应根据生产工艺和机器类型,采用不同形式的整体式混凝土结构;破碎机、磨机、往复式机器宜采用大块式或墙式基础,旋转类机器宜根据其功率、转速等采用大块式或构架式基础。

3.1.3 动力机器基础宜与建筑物基础、主体结构脱开；不能脱开时，应估计与其相连的影响，并应采取对建筑物和基础不产生有害影响的措施。

3.1.4 设备基础在规定的设计使用期限内，应满足下列功能要求：

 1 在正常施工和正常使用时，应能承受可能出现的各种作用；

 2 在正常使用时，应满足设备性能的要求；

 3 在正常维护下，应满足耐久性的要求；

 4 在偶然事件发生时和发生后，应能保持整体稳定性。

3.1.5 动力机器基础的振动对机器正常生产、邻近工作人员或对邻近建筑物内的精密仪器仪表和环境产生影响时，宜采取隔振措施。连接在动力机器上的管道宜采用柔性接头，对其穿过建筑物墙体或与建筑物连接处宜采用隔振措施，应防止产生局部共振。

3.1.6 设备基础对地基的要求应符合下列规定：

 1 设备基础应设置在具有均匀压缩性的天然地基土层上，当地基承载力或地基沉降不满足设计要求时，可采用人工地基或桩基础；

 2 动力机器基础宜建造在不产生不均匀沉降的低压缩性地基土上，也可建造在经过重锤夯实、振动夯实或其他方法压实的回填土层上；

 3 对功率小于 50kW，转速低于 300r/min 的机器，其基底平均静压力小于 50kPa 时，可建造在未经压实的回填土上，且砂土的堆积龄期不应少于 2 年，黏性土的堆积龄期不应少于 5 年。

3.1.7 桩宜采用端承桩、摩擦端承桩或端承摩擦桩；脉冲式动力荷载作用的机器基础下宜采用实心截面桩，也可采用空心截面桩；桩的成桩方法宜选用挤土类桩。

3.1.8 动力机器基础设计，宜使基础底面的形心与基组的质心位于同一竖直线上。当基础底面形心与基组的质心不在同一竖直线

上时,基础底面形心与基组质心之间的偏心距和平行于偏心方向的基础底面边长之比应符合下列规定:

  1 对汽轮发电机组、透平压缩机组,应小于或等于3%;

  2 除汽轮发电机组、透平压缩机组以外的机器基础,应符合下列规定:

   1)地基承载力特征值(f_{ak})小于或等于150kPa时,应小于或等于3%;

   2)地基承载力特征值(f_{ak})大于150kPa时,应小于或等于5%。

  3 群桩的布置中心与基组总质心的水平距离与平行于偏心方向的群桩承台边长的比值,应小于或等于5%。

3.1.9 动力机器基础与毗邻的建筑物基础满足设计和施工要求时,基础间埋深可不在同一标高,基底标高差异部分的回填土应夯实,并应根据结构类型或动力机器种类提出压实系数的要求。

3.1.10 动力机器基础设置在整体性较完整的硬质岩石上,可采用锚桩或锚杆基础,应符合现行国家标准《建筑地基基础设计规范》GB 50007中对岩石锚杆基础的规定;对于采用锚桩或锚杆基础与基岩形成一体的岩石地基,可不计偏心距限值的规定。

3.1.11 对设置在湿陷性黄土、多年冻土、膨胀土、抗震设防区、侵蚀性环境和受60℃以上高温影响的设备基础,工程设计尚应符合现行国家标准《建筑抗震设计规范》GB 50011、《湿陷性黄土地区建筑规范》GB 50025等的有关规定。

3.1.12 重要的或对沉降有严格要求的设备,应要求在基础上设置永久沉降观测点,并应提出在基础施工、机器安装及正常运转过程中定期观测的要求,同时应做好记录。

3.1.13 对长期运行、机器性能可能发生改变的动力机器基础,设计时应有改变基组自振频率的可能,应采取增加基础的质量、改变地基土刚度、变更隔振等减小基础振动的措施。

3.1.14 设置在抗震设防区的大块式、墙式基础的设计可不计算地震作用。

3.1.15 设备基础的设计使用年限不应小于所在厂房主体结构和其上部机器的设计使用年限,设备基础结构的安全等级不应低于二级。

3.2 地基和基础的计算规定

3.2.1 设备基础的设计应符合下列规定:

    1 应计算基础底面处的平均静压力,当需要时,还应计算基础底面边缘的最大静压力,并应满足地基承载力的要求;

    2 当对地基变形有控制要求时,应计算静力作用下地基的变形,并应满足本规范第7.1.5条、第10.1.7条的要求;

    3 动力机器基础顶面控制点的振动速度不应超过容许值;

    4 在静力荷载和动力荷载作用下,应进行结构构件的承载能力验算;当有要求时,尚应进行构件的变形和裂缝宽度计算,均应符合现行国家标准《混凝土结构设计规范》GB 50010 的有关规定。

3.2.2 计算动力机器基础的振动幅值时,应采用机器正常运转时产生的动力荷载标准值。计算动力机器基础结构的动内力时,应采用机器正常运转时产生的动力荷载设计值或其当量荷载。

3.2.3 设备基础底面的平均静压力,应符合下式要求:

$$P_k \leqslant \alpha_1 \alpha_2 f_a \qquad (3.2.3)$$

式中:P_k——相应于作用的标准组合时,基础底面处的平均静压力标准值(kPa);

    f_a——修正后的地基承载力特征值(kPa);

    α_1——考虑动力机器工作的重要性,对地基承载力的折减系数,可按表 3.2.3 取值,静力设备基础可不计 α_1 的影响;

    α_2——动力机器作用下地基土的工作条件系数。对于细砂、粉砂和液性指数 I_L 大于 0.75 的粉土,可取 $\alpha_2 = 0.7$,其他类土,可取 $\alpha_2 = 0.9$,静力设备基础可不计 α_2 的影响。

表 3.2.3 地基承载力的折减系数 α_1

机器类型	α_1
破碎机、旋转类机器	0.8
往复式运动类机器	0.9
其他类机器	1.0

3.2.4 动力机器基础下桩基的承载力应符合下列公式要求：

$$\gamma_0 N_k \leqslant \alpha_3 R \quad (3.2.4\text{-}1)$$

$$N_k = \frac{F_k + G_k}{n} \quad (3.2.4\text{-}2)$$

式中：γ_0——桩基重要性系数，可取 $\gamma_0 = 1.0$；

N_k——相应于荷载效应标准组合时，桩顶的荷载标准值；

R——基桩的竖向承载力特征值，应按现行行业标准《建筑桩基技术规范》JGJ 94 的规定采用；

α_3——考虑动力机器工作的重要性及桩的类型对基桩承载力的影响系数，摩擦桩可按本规范表 3.2.3 取值，端承桩可取 $\alpha_3 = 1.0$；

F_k——作用于桩基承台顶面的竖向力标准值，含机器、设备自重和传至基础上其他静荷载的标准值；

G_k——桩基承台和承台上土重的标准值；

n——桩基中的桩数。

3.2.5 动力机器基础的振动设计应根据机器不同的运动方式产生的动力荷载和基础的不同类型，分别按本规范附录 A 进行计算。

3.2.6 动力荷载标准值应由设备厂家提供，当确实难以提供时，可根据设备图纸及有关数据，按本规范第 5 章～第 8 章及附录 B 中的相关内容进行近似计算。

3.2.7 当机器竖向扰力 P_{zk} 与基组质心存在偏心，或机器的水平扰力 P_{xk} 未经过质心的平面和坐标轴时，应分别计算由此产生的回转力矩和扭转力矩，并应与机器本身产生的回转力矩和扭转力矩叠加。

3.2.8 当基础上有多台机器或多个振动源作用时,基础顶面控制点同方向的总振动线位移、总振动速度、总振动加速度的计算应符合下列规定：

1 当多台机器的频率相同时,应按下列公式计算：

$$d_f = \sqrt{(d_1+d_2)^2 + \sum_{i=3}^{n} d_i^2} \quad (3.2.8\text{-}1)$$

$$v_f = d_f \cdot \omega \quad (3.2.8\text{-}2)$$

$$a_f = d_f \cdot \omega^2 \quad (3.2.8\text{-}3)$$

式中：d_f——基础顶面控制点的总振动线位移(mm)；

v_f——基础顶面控制点的总振动速度(mm/s)；

a_f——基础顶面控制点的总振动加速度(mm/s²)；

d_1——基础顶面控制点最大的振动线位移(mm)；

d_2——基础顶面控制点第二大的振动线位移(mm)；

d_i——基础顶面控制点第i个振动线位移(mm)；

ω——机器扰力的圆频率(rad/s)；

n——扰力、扰力矩的个数。

2 基础上设置机组,且在同一旋转轴上有几个不同运动部件产生不同转速时,应按下列公式计算：

$$d_f = \sqrt{(d_1+d_2)^2 + \sum_{i=3}^{n} d_i^2} \quad (3.2.8\text{-}4)$$

$$v_f = \sqrt{(d_1\omega_1+d_2\omega_2)^2 + \sum_{i=3}^{n} (d_i\omega_i)^2} \quad (3.2.8\text{-}5)$$

$$a_f = \sqrt{(d_1\omega_1^2+d_2\omega_2^2)^2 + \sum_{i=3}^{n} (d_i\omega_i^2)^2} \quad (3.2.8\text{-}6)$$

式中：ω_1——基础顶面控制点单个运动部件引起的最大振动线位移对应的扰力圆频率；

ω_2——基础顶面控制点单个运动部件引起的第二大振动线位移对应的扰力圆频率；

ω_i——基础顶面控制点单个运动部件引起的第 i 大振动线位移对应的扰力圆频率。

3 当多台机器频率不同时,应按下列公式计算：

$$d_\mathrm{f} = \sum_{i=1}^{n} d_i \qquad (3.2.8\text{-}7)$$

$$v_\mathrm{f} = \sum_{i=1}^{n} d_i \omega_i \qquad (3.2.8\text{-}8)$$

$$a_\mathrm{f} = \sum_{i=1}^{n} d_i \omega_i^2 \qquad (3.2.8\text{-}9)$$

4 往复式机器频率相差一倍的一谐扰力、扰力矩和二谐扰力、扰力矩作用下产生的相同方向的总振动线位移、总振动速度和总振动加速度,应按下列公式计算：

$$d_\mathrm{f} = \sqrt{\left(\sum_{i=1}^{n} d_i'\right)^2 + \left(\sum_{i=1}^{n} d_i''\right)^2} \qquad (3.2.8\text{-}10)$$

$$v_\mathrm{f} = \sqrt{\left(\sum_{i=1}^{n} d_i' \omega'\right)^2 + \left(\sum_{i=1}^{n} d_i'' \omega''\right)^2} \qquad (3.2.8\text{-}11)$$

$$a_\mathrm{f} = \sqrt{\left(\sum_{i=1}^{n} d_i' \omega'^2\right)^2 + \left(\sum_{i=1}^{n} d_i'' \omega''^2\right)^2} \qquad (3.2.8\text{-}12)$$

$$\omega' = 0.105n \qquad (3.2.8\text{-}13)$$

$$\omega'' = 0.210n \qquad (3.2.8\text{-}14)$$

式中：d_i'——机器在第 i 个一谐扰力、扰力矩作用下,基础顶面控制点的振动线位移(mm)；

d_i''——机器在第 i 个二谐扰力、扰力矩作用下,基础顶面控制点的振动线位移(mm)；

ω'——机器一谐扰力、扰力矩的圆频率(rad/s)；

ω''——机器二谐扰力、扰力矩的圆频率(rad/s)；

n——机器的工作转速(r/min)。

3.2.9 构架式基础的动力计算,当采用空间多自由度模型计算振动线位移时,应在机器工作频率的 0.75 倍～1.25 倍范围内扫频计算,并应取最大计算值。

3.2.10 动力机器基础的振动控制应符合下列规定:

1 应符合下列表达式要求:

$$d_f \leqslant [d] \qquad (3.2.10\text{-}1)$$

$$v_f \leqslant [v] \qquad (3.2.10\text{-}2)$$

$$a_f \leqslant [a] \qquad (3.2.10\text{-}3)$$

式中:d_f——基础顶面控制点的计算或测试的振动线位移(mm);
$[d]$——基础的容许振动线位移(mm);
v_f——基础顶面控制点的计算或测试的振动速度(mm/s);
$[v]$——基础的容许振动速度(mm/s);
a_f——基础顶面控制点的计算或测试的振动加速度(mm/s^2);
$[a]$——基础的容许振动加速度(mm/s^2)。

2 机器基础的容许振动速度$[v]$应按表3.2.10确定;当机器制造厂家对振动限值有更严格的要求时,应按机器制造厂家的规定执行。

表3.2.10 机器基础容许振动速度值

机器类型	机器工作转速 n(r/min)	容许振动速度$[v]$(mm/s)
旋转式机器	$n<1000$	7.0
	$1000 \leqslant n<3000$	6.5
	$n \geqslant 3000$	5.0
往复式机器	$n<200$	5.0
	$200 \leqslant n<400$	6.3
	$400 \leqslant n<600$	7.0
	$n \geqslant 600$	7.5
破碎机	$300<n<750$	8.0~10.0
摇床	$n \leqslant 300$	6.3

注:本表未提及的动力机器基础的容许振动值应符合现行国家标准《建筑工程容许振动标准》GB 50868、《动力机器基础设计规范》GB 50040 的相关规定。

3.2.11 当生产操作区的操作人员承受全身振动影响产生不良感受,需要对振动加以控制时,在生产操作区不同方向的人体全身振动的疲劳-功效降低界限的容许振动加速度[a],宜按表 3.2.11-1、表 3.2.11-2 确定。

表 3.2.11-1 竖向振动的疲劳-功效降低的容许加速度值(m/s^2)

振动频率 f(Hz)	暴露于振动作用下的时间(h)			
	24	8	4	1
2	0.2	0.45	0.75	1.70
5	0.14	0.315	0.53	1.18
10	0.18	0.40	0.67	1.50
20	0.355	0.80	1.32	3.0
25	0.45	1.00	1.70	3.75
31.5	0.56	1.25	2.12	4.75
50	0.90	2.0	3.55	—
80	1.4	3.15	5.30	—

注:表中指加速度的有效值,对于简谐波形,有效值等于最大值的 70.7%。

表 3.2.11-2 水平向振动的疲劳-功效降低的容许加速度值(m/s^2)

振动频率 f(Hz)	暴露于振动作用下的时间(h)			
	24	8	4	1
2	0.1	0.224	0.355	0.85
5	0.25	0.56	0.90	2.12
10	0.50	1.12	1.80	4.25
20	1.0	2.24	3.55	—
25	1.25	2.80	4.50	—
31.5	1.60	3.55	5.60	—
50	2.50	5.60	—	—
80	4.00	—	—	—

注:表中指加速度的有效值,对于简谐波形,有效值等于最大值的 70.7%。

3.2.12 在设备基础上作用的各类荷载，类型及作用方向应符合下列规定：

    1 荷载类型应包括下列内容：

        1）永久荷载包括机器自重、管道与平台等装置重量、基础自重、基础上填土重量等；

        2）可变荷载包括动力荷载（即机器扰力或其当量荷载）、操作荷载、温度作用、风荷载以及凝汽器的真空吸力等；

        3）短暂荷载包括安装荷载、检修荷载等；

        4）偶然荷载包括电机短路力矩、事故荷载等；

        5）地震作用。

    2 荷载的作用方向应包括下列内容：

        1）机器与基础自重、装置重量、操作荷载、安装与检修荷载，为竖直单向作用；

        2）温度作用、风荷载等，为水平双向作用；

        3）扰力或其当量荷载，可同时具有竖向、水平横向和水平纵向作用，应计算其正、负值；

        4）地震作用为水平双向作用。

3.2.13 设备基础结构及其构件在静态作用下，应根据不同的设计状况，按承载能力极限状态设计；有变形控制要求时，尚应按正常使用极限状态做变形及裂缝验算。选用荷载的基本组合或其他组合的效应设计值，应分别按下列规定进行：

    1 对持久设计状况，按承载能力极限状态设计，应求得永久荷载、可变荷载的荷载基本组合效应设计值 S_d，并应取其最不利的效应设计值，当其主导可变荷载为扰力或其当量荷载时，效应设计值应按下式计算：

$$S_d = \sum_{j=1}^{m} \gamma_{Gj} S_{Gjk} + \gamma_{Q1} S_{Q1k} + \sum_{i=2}^{n} \gamma_{Qi} \Psi_{ci} S_{Qik}$$

        (3.2.13-1)

式中：γ_{Gj}——第 j 个永久荷载的分项系数,应按本规范第 3.2.14 条的规定采用；

γ_{Qi}——第 i 个可变荷载的分项系数,其中 Q_1 为扰力荷载时,分项系数应按本规范表 3.2.14 采用；Q_1 为当量荷载时,分项系数可取 1.40；

S_{Gjk}——按第 j 个永久荷载标准值 G_{jk} 计算的荷载效应值；

S_{Qik}——按第 i 个可变荷载标准值 Q_{ik} 计算的荷载效应值,其中 S_{Qik} 为起控制作用的扰力或当量荷载效应。当无法判断时,应依次以扰力或当量荷载效应作为 S_{Qik},并应选取其中最不利的荷载组合效应设计值；

Ψ_{ci}——第 i 个可变荷载 Q_i 的组合值系数,可取 0.70；

m——参与组合的永久荷载数；

n——参与组合的可变荷载数。

2 本条第 1 款中,当起控制作用为非扰力及其当量荷载时,其可变荷载分项系数 γ_{Qi} 应取 1.4,并应计算起控制作用的可变荷载效应 S_{Qik}。当无法判断时,应依次以可变荷载效应作为 S_{Qik},并应选取其中最不利的荷载组合效应设计值。

3 确有必要时,对短暂设计状况,按承载能力极限状态设计,应求得荷载基本组合效应设计值,并应按式(3.2.13-1)计算。其中主导可变荷载应取起控制作用的检修、安装荷载,分项系数 γ_{Q1} 可取 1.4,其他可变荷载 Q_i 的组合值系数 Ψ_{ci},可取小于或等于 0.7。

4 对偶然设计状况,应按承载能力极限状态设计,荷载偶然组合的效应设计值 S_d,应按下式计算：

$$S_d = \sum_{j=1}^{m} S_{Gjk} + S_{Ad} + \psi_{f1} S_{Q1k} \quad (3.2.13\text{-}2)$$

式中：S_{Ad}——按偶然荷载标准值 A_d 计算的荷载效应值；

ψ_{f1}——第 1 个可变荷载频遇值系数,当为扰力或其当量荷载时,应取 0.25；为其他可变荷载时,可取 0.7。

5 对持久设计状况,基础结构及其构件的变形、裂缝验算,其荷载标准组合的效应设计值、荷载准永久组合的设计值应符合现行国家标准《建筑结构荷载规范》GB 50009 的有关规定。

6 地震设计状态下,高、中速旋转式机器构架式基础验算应符合本规范第 8 章的有关规定。

3.2.14 当基础结构构件按承载能力极限状态设计时,荷载基本组合的分项系数、动力系数等的选取应符合下列规定:

1 荷载分项系数的选取应符合下列规定:
　1)永久荷载应取 1.2;当对结构计算有利时,不应大于 1.0;
　2)可变荷载中动力荷载取值应符合表 3.2.14 的规定,对操作荷载、风荷载、温度作用、安装、检修荷载可取 1.4;
　3)当量荷载的荷载分项系数应取 1.4,动力系数应取 1.0。

2 动力荷载设计值应同时计入荷载分项系数和荷载动力系数,应按下列公式计算:

$$P_z = \gamma_f \cdot \eta_z \cdot P_{zk} \quad (3.2.14\text{-}1)$$

$$P_x = \gamma_f \cdot \eta_x \cdot P_{xk} \quad (3.2.14\text{-}2)$$

式中:P_z、P_x——竖向和水平方向动力机器的扰力设计值;
　　　γ_f、η——动力荷载分项系数和动力系数,应按表 3.2.14 采用;
　　　P_{zk}、P_{xk}——竖向和水平方向动力机器的扰力标准值。

表 3.2.14 动力荷载分项系数和动力系数

机器类型	机器转速 (r/min)	荷载分项系数 γ_f	荷载动力系数 η	
			竖向 η_z	水平向 η_x
旋转类机器	<500	4	3	2
	500~1500	4	—	2
	1500~2000	4	—	2
	>2000	4	—	—

续表 3.2.14

机器类型	机器转速 (r/min)	荷载分项系数 γ_f	荷载动力系数 η	
			竖向 η_z	水平向 η_x
往复类机器	≤600	2	1	1
	>600	1.4	4	2
圆锥破碎机、颚式破碎机	—	3.0	1.2	1.2
锤式破碎机、反击式破碎机	—	4	1	1
磨机	—	1.4	—	1
轧机	—	1.4	2	2
锻压机	—	1.5	2	2
摇床	—	2.0		1.0

注：1 转速为中间值时，荷载动力系数插入确定；
  2 对功率大于 25000kW 的汽轮机、透平机组，动力系数 η 值减半；
  3 当往复式机器转速小于或等于 600r/min，且有几个同样往复运动的部件时，γ_f 应取 1.4；
  4 表中 η 值适用于钢筋混凝土结构，已计及混凝土结构的疲劳影响。

3.2.15 当动力机器基础符合下列条件之一时，可不作动力计算：

 1 当基础的质量与机器或机器连同物料自重的比值大于或等于本规范附录 C 中的质量比，且基础底面平均压力小于地基承载力特征值的 50% 时；

 2 当设备厂家允许机器直接搁置在基础上，不作固定连接，且机器基础的容许振动值无特别要求时。

3.2.16 符合本规范第 4 章隔振体系设计的基础，可不作动力计算。

3.3 地基动力特征参数

Ⅰ 天然地基

3.3.1 计算动力机器基础振动时，天然地基的动力特性应用抗压

刚度系数 C_z、抗弯刚度系数 C_φ、抗剪刚度系数 C_x、抗扭刚度系数 C_ψ 和阻尼比 ζ_z、ζ_x、$\zeta_{x\varphi1}$、$\zeta_{x\varphi2}$、ζ_ψ 等参数表示。

3.3.2 天然地基的抗压刚度系数 C_z 宜由现场试验确定,试验方法应符合现行国家标准《地基动力特性测试规范》GB/T 50269 的有关规定。当无条件进行试验时,可按本规范第 3.3.3 条～第 3.3.8 条的规定确定。

3.3.3 对动力机器基础,当地基土均匀时,其抗压刚度系数 C_z 值应符合下列规定:

1 当基础底面积大于或等于 $20m^2$ 时,可按表 3.3.3 采用;

表 3.3.3 天然地基的抗压刚度系数 C_z 值(kN/m^3)

地基承载力特征值 f_{ak}(kPa)	土 的 名 称		
	黏性土	粉土	砂土
300	66000	59000	52000
250	55000	49000	44000
200	45000	40000	36000
150	35000	31000	28000
100	25000	22000	18000
80	18000	16000	—

2 当基础底面积小于 $20m^2$ 时,抗压刚度系数值可采用表 3.3.3 中的数值乘以底面积修正系数,修正系数 β_r 值可按下式计算:

$$\beta_r = \sqrt[3]{\frac{20}{A}} \quad (3.3.3)$$

式中:β_r——底面积修正系数;

A——基础底面积(m^2)。

3.3.4 动力机器基础,当地基土比较均匀,地基承载力特征值大

于300kPa时,抗压刚度系数 C_z 值可按下式计算:

$$C_z = b_0 E_0 \left(1 + \sqrt{\frac{10}{A}}\right) \qquad (3.3.4)$$

式中:b_0——系数(1/m),对于砂土可取2.2,粉土和粉质黏土可取2.4,黏土可取3.0,碎石土可取2.2;

A——基础底面积(m^2),超过200m^2时,可按200m^2计;

E_0——地基土的变形模量(MPa),可按岩土工程勘察报告提供的数值采用,当岩土工程勘察报告中无 E_0 值时,可按表3.3.4采用。

表3.3.4 地基土变形模量 E_0 值(MPa)

地基承载力特征值 f_{ak}(kPa)	土 的 名 称			
	黏性土	粉土	砂土	碎石土
500	—	—	—	27.38
450	—	—	—	24.54
400	—	—	21.51	21.90
350	17.13	18.17	18.82	19.17
300	—	—	—	16.34

3.3.5 基础底部由不同土层组成的地基土,其影响深度 h_d 可按下列规定取值:

1 方形基础可按下式计算:

$$h_d = 2d \qquad (3.3.5\text{-}1)$$

式中:h_d——影响深度(m);

d——方形基础的边长(m)。

2 其他形状的基础可按下式计算:

$$h_d = 2\sqrt{A} \qquad (3.3.5\text{-}2)$$

3.3.6 基础影响地基土深度范围内,当地基土由两层及以上土层组成时(图3.3.6),其抗压刚度系数可按下式计算:

$$C_z = \frac{2/3}{\sum_{i=1}^{n} \frac{1}{C_{zi}} \left[\frac{1}{1 + \frac{2h_{i-1}}{h_d}} - \frac{1}{1 + \frac{2h_i}{h_d}} \right]} \quad (3.3.6)$$

式中：C_{zi}——第 i 层土的抗压刚度系数（kN/m^3）；

h_i——从基础底至 i 层土底面的深度（m）；

h_{i-1}——从基础底至 $i-1$ 层土底面的深度（m）。

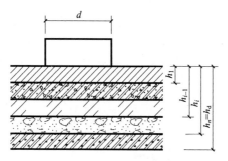

图 3.3.6 分层地基土

3.3.7 天然地基的抗弯、抗剪、抗扭刚度系数可按下列公式计算：

$$C_\varphi = 2.15 C_z \quad (3.3.7-1)$$

$$C_x = 0.70 C_z \quad (3.3.7-2)$$

$$C_\psi = 1.50 C_z \quad (3.3.7-3)$$

式中：C_φ——天然地基的抗弯刚度系数（kN/m^3）；

C_x——天然地基的抗剪刚度系数（kN/m^3）；

C_ψ——天然地基的抗扭刚度系数（kN/m^3）。

3.3.8 天然地基的抗压、抗弯、抗剪、抗扭刚度可按下列公式计算：

$$K_z = C_z A \quad (3.3.8-1)$$

$$K_\varphi = C_\varphi I \quad (3.3.8-2)$$

$$K_x = C_x A \quad (3.3.8-3)$$

$$K_\psi = C_\psi I_z \quad (3.3.8\text{-}4)$$

式中：K_z——天然地基的抗压刚度（kN/m）；

K_φ——天然地基的抗弯刚度（kN·m）；

K_x——天然地基的抗剪刚度（kN/m）；

K_ψ——天然地基的抗扭刚度（kN·m）；

I——通过基础底面形心轴的惯性矩（m⁴）；

I_z——通过基础底面形心轴的极惯性矩（m⁴）。

3.3.9 当基础埋置于土中，地基承载力特征值小于350kPa，且基础四周回填土的压实系数大于0.95时，其抗压刚度可乘以提高系数 α_z，抗弯、抗剪、抗扭刚度可乘以提高系数 $\alpha_{x\varphi}$，提高系数可按下列公式计算：

$$\alpha_z = (1+0.4\delta_b)^2 \quad (3.3.9\text{-}1)$$

$$\alpha_{x\varphi} = (1+1.2\delta_b)^2 \quad (3.3.9\text{-}2)$$

$$\delta_b = \frac{h_t}{\sqrt{A}} \quad (3.3.9\text{-}3)$$

式中：α_z——基础埋深作用对地基抗压刚度的提高系数；

$\alpha_{x\varphi}$——基础埋深对地基抗剪、抗弯、抗扭刚度的提高系数；

δ_b——基础埋深比，当 δ_b 大于0.6时，可取0.6；

h_t——基础埋置深度（m）；

A——基础底面积（m²）。

3.3.10 当基础与刚性地面相连时，地基抗弯、抗剪、抗扭刚度可分别乘以刚性地面提高系数 α_L，软弱地基土可取1.4，其他地基土可取1.0～1.4。

3.3.11 明置基础天然地基的阻尼比，可按下列规定确定：

1 竖向阻尼比可按下列公式计算：

   1）黏性土：

$$\zeta_z = \frac{0.16}{\sqrt{m}} \quad (3.3.11\text{-}1)$$

2）砂土、粉土：

$$\zeta_z = \frac{0.11}{\sqrt{\overline{m}}} \qquad (3.3.11\text{-}2)$$

$$\overline{m} = \frac{m}{\gamma A \sqrt{A}} \qquad (3.3.11\text{-}3)$$

式中：ζ_z——天然地基竖向阻尼比；

$\overline{m}$——基组质量比；

m——基组的质量（t）；

γ——地基土的密度（t/m³）。

3）碎石土竖向阻尼比可按砂土的竖向阻尼比采用。

2 水平向、水平回转向、扭转向阻尼比可按下列公式计算：

$$\zeta_x = 0.5\zeta_z \qquad (3.3.11\text{-}4)$$

$$\zeta_{x\varphi 1} = 0.5\zeta_z \qquad (3.3.11\text{-}5)$$

$$\zeta_{x\varphi 2} = \zeta_{x\varphi 1} \qquad (3.3.11\text{-}6)$$

$$\zeta_\psi = \zeta_{x\varphi 1} \qquad (3.3.11\text{-}7)$$

式中：ζ_x——天然地基水平向阻尼比；

$\zeta_{x\varphi 1}$——天然地基水平回转耦合振动第一振型阻尼比；

$\zeta_{x\varphi 2}$——天然地基水平回转耦合振动第二振型阻尼比；

ζ_ψ——天然地基扭转向阻尼比。

3.3.12 当基础埋置土中，天然地基的阻尼比应为明置基础的阻尼比乘以基础埋深作用的提高系数，阻尼比提高系数应符合下列规定：

1 竖向振动时应按下式计算：

$$\beta_z = 1 + \delta_b \qquad (3.3.12\text{-}1)$$

2 水平向、水平旋转向、扭转向振动时应按下式计算：

$$\beta_{x\varphi} = 1 + 2\delta_b \qquad (3.3.12\text{-}2)$$

式中：β_z——竖向振动阻尼比的提高系数；

$\beta_{x\varphi}$——水平向、水平旋转向、扭转向振动阻尼比的提高系数;

δ_b——基础埋深比,应按本规范式(3.3.9-3)确定。

3.3.13 按本规范第3.2节、第3.3节和附录A公式计算所得的基础振动线位移,对于大块式、墙式基础,考虑土体参振质量的有利影响,可将振动线位移乘以折减系数,竖向乘以0.7,水平向乘以0.85。

3.3.14 振动在土中的传播,可按下列近似公式计算:

$$d_r = d_0 \left\{ \frac{1}{\delta[1+(\delta-1)^2]} + \frac{\delta^2-1}{(\delta^2+1)\sqrt{3\delta}} \right\} \quad (3.3.14\text{-}1)$$

$$\delta = \frac{r}{r_0} \quad (3.3.14\text{-}2)$$

$$r_0 = \sqrt{\frac{A}{\pi}} \quad (3.3.14\text{-}3)$$

式中:d_r——距振动机器基础中心线的水平距离为r点处,土表面的竖向或水平向振动线位移(mm);

d_0——机器基础振动的竖向或水平向振动线位移(mm);

r_0——机器基础的当量半径(m);

A——基础底面积(m²)。

3.3.15 对毗邻动力机器基础的建筑物或构筑物基础,应计算相邻机器基础传播的振动影响,基础验算应符合下列规定:

1 基础底面地基平均静压力应按下式计算:

$$P_k \leqslant \alpha_2 f_a \quad (3.3.15\text{-}1)$$

式中:P_k——相应于作用的标准组合时,基础底面处的平均静压力标准值(kPa);

f_a——修正后的地基承载力特征值(kPa);

α_2——动力机器作用下地基土的工作条件系数。对于细砂、粉砂和液性指数I_L大于0.75的粉土,可取0.7;其他土,可取0.9。

2 应控制建筑物或构筑物基础处地基的振动速度，并应按下列公式计算：

$$v_r \leqslant 2(\text{mm/s}) \qquad (3.3.15\text{-}2)$$

$$v_r = d_r \omega \qquad (3.3.15\text{-}3)$$

式中：d_r——距振动机器基础中心线的水平距离为 r 点处，土表面的竖向或水平向振动线位移(mm)；

ω——动力机器的扰力圆频率。

Ⅱ 桩 基

3.3.16 桩基的基本动力参数应由现场试验确定，试验方法应符合现行国家标准《地基动力特性测试规范》GB/T 50269 的有关规定。当无条件进行试验并有经验时，可按本规范第 3.3.17 条～第 3.3.26 条的规定采用。

3.3.17 桩基的抗压刚度可按下列公式计算：

$$K_{pz} = n k_{pz} \qquad (3.3.17\text{-}1)$$

$$k_{pz} = \lambda k_p \frac{\lambda \tanh\lambda + \beta}{\beta \tanh\lambda + \lambda} \qquad (3.3.17\text{-}2)$$

$$\lambda = \sqrt{\frac{k_\tau}{k_p}} \qquad (3.3.17\text{-}3)$$

$$\beta = \frac{k_z}{k_p} \qquad (3.3.17\text{-}4)$$

$$k_\tau = \sum C_{p\tau} A_{p\tau} \qquad (3.3.17\text{-}5)$$

$$k_z = C_{pz} A_{pz} \qquad (3.3.17\text{-}6)$$

$$k_p = \frac{E \cdot A_p}{L} \qquad (3.3.17\text{-}7)$$

式中：K_{pz}——桩基的抗压刚度(kN/m)；

k_{pz}——单桩的抗压刚度(kN/m)；

k_τ——单桩与桩周土之间的抗剪刚度(kN/m)；

k_z——单桩桩尖处地基土的抗压刚度(kN/m);

k_p——单桩桩身的抗压刚度(kN/m);

$C_{p\tau}$——桩周土的当量抗剪刚度系数(kN/m³),当桩的间距为4倍~5倍桩截面直径或边长时,可按表3.3.17-1采用;

C_{pz}——桩尖土的当量抗压刚度系数(kN/m³),可按表3.3.17-2采用;

$A_{p\tau}$——各层土中的桩周表面积(m²);

A_{pz}——桩尖土当量受压面积,可取桩承台面积除以桩数的面积值(m²);

A_p——桩的截面面积(m²);

E——桩身材料的弹性模量(MPa);

L——桩埋入土中的长度(m),一般情况下不宜大于30m;

n——桩的数量。

表3.3.17-1 桩周土的当量抗剪刚度系数$C_{p\tau}$值(kN/m³)

桩周土承载力特征值f_{ak}(kPa)	桩周土的当量抗剪刚度系数$C_{p\tau}$
$200 \leqslant f_{ak} \leqslant 250$	60000~80000
$150 \leqslant f_{ak} \leqslant 200$	40000~60000
$100 \leqslant f_{ak} \leqslant 150$	35000~40000
$70 \leqslant f_{ak} \leqslant 100$	30000~35000

表3.3.17-2 桩尖土的当量抗压刚度系数C_{pz}值(kN/m³)

土的名称	土的状态	桩尖埋置深度(m)	当量抗压刚度系数C_{pz}
黏性土、粉土	软塑、可塑	10~20	600000~800000
		20~30	800000~1300000
	硬塑	10~20	1100000~1800000
		20~30	1800000~3000000

续表 3.3.17-2

土的名称	土的状态	桩尖埋置深度(m)	当量抗压刚度系数 C_{pz}
粉砂、细砂	中密	10~20	600000~1000000
		20~30	1000000~1500000
	密实	10~20	1200000~2000000
		20~30	2000000~3000000
中砂、粗砂、砾砂	中密	10~20	1000000~1500000
圆砾、卵石	密实	10~20	1500000~2800000
页岩	中等风化	—	3000000

3.3.18 桩基的抗弯刚度可按下式计算：

$$K_{p\varphi}=k_{pz}\sum_{i=1}^{n}r_{i}^{2} \quad (3.3.18)$$

式中：$K_{p\varphi}$——桩基的抗弯刚度（kN·m）；

r_i——第 i 根桩的轴线至承台底面形心回转轴的距离（m）。

3.3.19 桩基的抗剪刚度和抗扭刚度可按下列规定采用：

1 桩基的抗剪刚度 K_{px} 和抗扭刚度 $K_{p\psi}$ 可采用相应的天然地基抗剪刚度和抗扭刚度的 1.4 倍；

2 当计入基础埋深和刚性地面作用后，桩基抗剪刚度可按下式计算：

$$K'_{px}=K_{px}(0.4+\alpha_{x\varphi}\alpha_{L}) \quad (3.3.19\text{-}1)$$

3 当计入基础埋深和刚性地面作用后，桩基抗扭刚度可按下式计算：

$$K'_{p\psi}=K_{p\psi}(0.4+\alpha_{x\varphi}\alpha_{L}) \quad (3.3.19\text{-}2)$$

式中：K_{px}——桩基的抗剪刚度（kN·m）；

$K_{p\psi}$——桩基的抗扭刚度(kN·m);

$\alpha_{x\varphi}$——桩基承台埋深对地基抗剪、抗扭刚度的提高系数,取值应符合本规范第3.3.9条的规定;

α_L——刚性地面提高系数,取值应符合本规范第3.3.10条的规定。

4 当采用端承桩或端承摩擦桩,上部土层地基承载力标准值大于或等于200kPa时,桩基抗剪、抗扭刚度不应大于相应的天然地基的抗剪、抗扭刚度值。

3.3.20 斜桩的抗剪刚度应符合下列规定:

1 当斜桩的斜度大于1:6,其间距为4倍～5倍桩截面的直径或边长时,斜桩的抗剪刚度可采用相应的天然地基抗剪刚度的1.6倍;

2 当计入基础埋深和刚性地面作用时,斜桩的抗剪刚度可按下式计算:

$$K'_{px} = K_{px}(0.6 + \alpha_{x\varphi}\alpha_L) \qquad (3.3.20)$$

3.3.21 计算桩基振动时,桩基的竖向、水平向总质量以及基组的总转动惯量应按下列公式计算:

$$m_{pz} = m + m_0 \qquad (3.3.21-1)$$

$$m_{px} = m + 0.4m_0 \qquad (3.3.21-2)$$

$$m_0 = L_t bd\gamma \qquad (3.3.21-3)$$

$$J' = J\left(1 + \frac{0.4m_0}{m}\right) \qquad (3.3.21-4)$$

$$J'_z = J_z\left(1 + \frac{0.4m_0}{m}\right) \qquad (3.3.21-5)$$

式中:m_{pz}——桩基竖向总质量(t);

m_{px}——桩基水平向总质量(t);

m_0——竖向振动时,桩和桩间土参加振动的当量质量(t);

L_t——桩的折算长度,桩尖入土深度小于10m时,可取$L_t=1.8$m,桩尖入土深度大于15m时,可取$L_t=$

2.4m,中间值直线插入计算；

b——桩基承台底面的宽度(m)；

d——桩基承台底面的长度(m)；

γ——地基土的重力密度(kN/m³)；

J'——基组通过其质心轴的总转动惯量(t·m²)；

J'_z——基组通过其质心轴的总极转动惯量(t·m²)；

J——基组通过其质心轴的转动惯量(t·m²)；

J_z——基组通过其质心轴的极转动惯量(t·m²)。

3.3.22 桩基础的阻尼比应符合下列规定：

1 桩基竖向阻尼比应按下列公式计算：

1）当桩基承台底面下为黏性土时：

$$\zeta_{pz} = \frac{0.2}{\sqrt{\overline{m}}} \qquad (3.3.22\text{-}1)$$

2）当桩基承台底面下为砂土、粉土时：

$$\zeta_{pz} = \frac{0.14}{\sqrt{\overline{m}}} \qquad (3.3.22\text{-}2)$$

3）端承桩或当桩基承台与地基土脱空时：

$$\zeta_{pz} = \frac{0.10}{\sqrt{\overline{m}}} \qquad (3.3.22\text{-}3)$$

式中：ζ_{pz}——桩基的竖向阻尼比；

$\overline{m}$——基组质量比。

2 桩基水平向、水平回转向、扭转向阻尼比应按下列公式计算：

$$\zeta_{px} = 0.5\zeta_{pz} \qquad (3.3.22\text{-}4)$$

$$\zeta_{px\varphi 1} = 0.5\zeta_{pz} \qquad (3.3.22\text{-}5)$$

$$\zeta_{px\varphi 2} = \zeta_{px\varphi 1} \qquad (3.3.22\text{-}6)$$

$$\zeta_{p\psi} = \zeta_{px\varphi 1} \qquad (3.3.22\text{-}7)$$

式中：ζ_{px}——桩基水平向阻尼比；

$\zeta_{px\varphi 1}$——桩基水平回转耦合振动第一振型阻尼比；

$\zeta_{px\varphi2}$——桩基水平回转耦合振动第二振型阻尼比；

$\zeta_{p\psi}$——桩基的扭转向阻尼比。

3.3.23 桩基承台埋深对阻尼比的提高作用，可按下列公式计算：

$$\zeta'_{pz} = \zeta_{pz}(1+0.9\delta) \quad (3.3.23\text{-}1)$$

$$\zeta'_{px} = \zeta_{px}(1+1.4\delta) \quad (3.3.23\text{-}2)$$

$$\zeta'_{px\varphi1} = \zeta_{px\varphi1}(1+1.4\delta) \quad (3.3.23\text{-}3)$$

$$\zeta'_{px\varphi2} = \zeta'_{px\varphi1} \quad (3.3.23\text{-}4)$$

$$\zeta'_{p\psi} = \zeta'_{px\varphi1} \quad (3.3.23\text{-}5)$$

$$\delta = \frac{h_{pt}}{\sqrt{A}} \quad (3.3.23\text{-}6)$$

式中：ζ'_{pz}——考虑承台埋深影响后，桩基的竖向阻尼比；

ζ'_{px}——考虑承台埋深影响后，桩基的水平向阻尼比；

$\zeta'_{px\varphi1}$——考虑承台埋深影响后，桩基水平回转耦合振动第一振型阻尼比；

$\zeta'_{px\varphi2}$——考虑承台埋深影响后，桩基水平回转耦合振动第二振型阻尼比；

$\zeta'_{p\psi}$——考虑承台埋深影响后，桩基的扭转向阻尼比；

δ——桩基承台埋深比；

h_{pt}——承台埋置深度；

A——承台底面面积。

3.4 构造要求

3.4.1 设备基础的混凝土强度等级，对大块式基础不应低于C20，对墙式、构架式基础不宜低于C30。

3.4.2 大块式、墙式动力机器基础的钢筋宜采用 HRB400、HRBF400 钢筋，也可采用 HRB335、HPB300 钢筋；构造配筋可采用 HPB300、HRB335 钢筋。构架式动力机器基础结构构件的受力钢筋应采用 HRB400、HRB500、HRBF400、HRBF500 钢筋，箍筋及构造钢筋宜采用 HPB300、HRB335、HRBF335、HRB400、

HRBF400钢筋。

3.4.3 动力机器基础的底板宜设计为长方形，应设置在同一标高上。基础底面下宜设置混凝土强度不低于C10的垫层，厚度宜为100mm，基础的混凝土保护层厚度，底面不应小于40mm，顶面、侧面不应小于30mm。

3.4.4 构架式基础的构造要求应符合下列规定：

 1 支柱应对称布置，支柱的上、下端均应固接；

 2 在支柱的中心线处宜对称设置构架梁；

 3 结构构件的截面形状宜对称；

 4 不宜在横向构架梁上承受偏心荷载；

 5 基础顶板的挑台悬出长度不应大于1500mm，悬臂支座处的截面高度不应小于悬出长度75%。

3.4.5 墙式和构架式基础的底板厚度应根据各种机器的配置要求并经计算确定，可取底板长度的1/10～1/20，但不宜小于400mm，同时应大于墙厚或支柱的长边截面高度。

3.4.6 基础地脚螺栓设置应符合下列规定，并应符合本规范附录E的规定：

 1 螺栓直径应根据设备安装图的要求经校核后确定。

 2 螺栓的形式及安装方式应满足设备安装图纸的要求；当螺栓直径大于或等于42mm时，应使螺栓能更换。

 3 螺栓中心线距基础边缘不应小于螺栓直径的4倍，预留孔边缘距基础边缘不应小于100mm。

 4 螺栓或预留孔底部距基础底面不应小于100mm。

3.4.7 大块式基础的构造配筋应符合下列规定：

 1 体积为$20m^3$～$40m^3$的大块式基础，应沿基础顶面、底面配置直径不小于12mm，且间距不大于200mm的钢筋网，平面凹凸处应局部加强配筋。

 2 体积大于$40m^3$的大块式基础，应在基础顶面、底面及四周配置直径14mm～16mm，且间距150mm～200mm的钢筋网，平面凹凸处应局部加强配筋。

3 设备支架处,构造配筋应局部加强,钢筋直径可根据螺栓的直径按表3.4.7确定,配置范围宜为600mm×600mm,钢筋间距可为200mm。

表3.4.7 钢筋直径与设备支架固定螺栓直径的关系

设备支架固定螺栓直径(mm)	钢筋直径(mm)
<42	12
42～56	16
>56	20

4 固定螺栓直径大于42mm时,宜在基础内设置角钢、槽钢固定位置。

3.4.8 墙式基础的受力钢筋应经计算确定,受力钢筋的最小配筋率不应低于0.15%;基础构造配筋应符合下列规定:

1 墙式基础沿墙面应配置钢筋网,竖向和水平向钢筋直径宜为14mm～16mm,钢筋间距均可采用200mm,水平钢筋在墙端部应搭接形成闭合;

2 上部梁板的配筋应按计算确定,墙与底板、上部梁板连接处宜适当增加构造配筋;

3 当设备支架处配筋需局部加强时,应符合本规范第3.4.7条的规定。

3.4.9 构架式基础的配筋除应符合现行国家标准《混凝土结构设计规范》GB 50010的有关规定外,尚应符合下列规定:

1 构架支柱应采用对称配筋并设置闭合钢箍,纵向受力钢筋的间距不应大于250mm;

2 受温度作用的构架梁应沿截面高度在梁侧设置纵向构造钢筋,间距不宜大于200mm,钢筋直径宜为12mm～14mm;

3 构架式基础的结构构件的受力钢筋应符合现行国家标准《混凝土结构设计规范》GB 50010中对最小配筋率的要求;

4 构架式基础底板的构造钢筋应沿周边、板顶及板底设置直径为12mm～14mm,且间距为150mm～200mm的钢筋网,其底板的钢筋面积不宜小于该截面面积的0.15%。

3.4.10 基础内钢筋连接可采用机械连接、焊接或绑扎搭接。机械连接及焊接接头的类型及质量应符合现行行业标准《钢筋机械连接技术规程》JGJ 107、《钢筋焊接及验收规程》JGJ 18 的有关规定。绑扎、搭接接头应符合现行国家标准《混凝土结构设计规范》GB 50010 的有关规定。

3.4.11 混凝土设备基础的设计应计及温度的影响,宜通过构造措施解决。

4 隔振设计

4.1 一般规定

4.1.1 本章适用于机器正常运转时产生简谐动力作用的旋转式机器、往复式机器的主动隔振设计。

被动隔振可按主动隔振的原则进行设计。

4.1.2 隔振体系设计除应取得本规范第3.1.1条规定的资料外,还应具备下列资料:

    1 隔振对象的容许振动值;

    2 隔振对象的型号、规格及轮廓尺寸,隔振对象底座外轮廓尺寸及地脚螺栓、埋件图,附属设备、管道位置及坑、沟、孔洞尺寸;

    3 隔振对象的质量及质量中心位置;

    4 机器正常运行时的转速、扰力、扰力矩及其作用点的位置和方向;

    5 隔振器、阻尼器所处位置的环境温度和有无腐蚀性介质;

    6 工艺等相关专业及环境对隔振设计的要求。

4.1.3 隔振体系应包括隔振对象、台座、隔振器和阻尼器,隔振体系的设计应符合下列规定:

    1 隔振方式宜采用支承式(图4.1.3),宜在隔振对象下部设置台座,隔振器宜设置在台座下面;台座结构应具有足够刚度,可采用整体混凝土结构、钢支架结构,台座与机器应刚性连接;当出现下列情况之一时,应设置台座:

      1)机器的机座刚度不足;

      2)直接在机座下设置隔振器有困难;

      3)为了调整隔振体系的自振特性,必须增加隔振体系的质量和质量惯性矩;

4) 隔振对象由几个单独的机器组成。

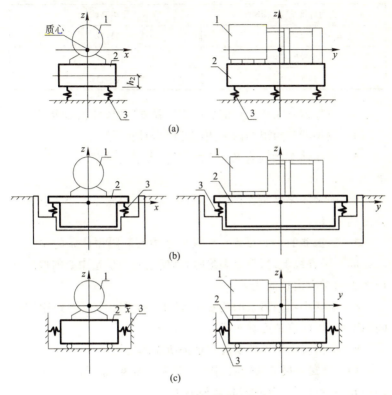

图 4.1.3 支承式隔振基础
1—机器；2—台座；3—隔振器

2 当台座采用梁板式混凝土结构时，板的最小厚度、梁的最小高跨比宜分别符合表 4.1.3-1 和表 4.1.3-2 的要求。

表 4.1.3-1 板的最小厚度

板的跨度 L(m)	板的厚度(mm)
$L<1.5$	100
$1.5 \leqslant L \leqslant 2.0$	120
$L>2.0$	150

表 4.1.3-2 梁的最小高跨比

扰力标准值 P_k(kN)	主梁高跨比
<1.0	1/10
1.0≤P_k≤3.0	1/8
<3.0	根据具体情况确定

  3 隔振器宜采用圆柱螺旋弹簧隔振器、橡胶隔振器等类型。
  4 隔振器和阻尼器的采用应经隔振计算后确定。
  5 隔振体系的固有频率(ω_n)不应大于机器扰力圆频率(ω)的 40%。
  6 弹簧隔振器布置在梁上时,弹簧的压缩量不宜小于支承梁挠度的 10 倍。
  7 隔振器的平面布置宜使其刚度中心和隔振体系的质量中心在同一竖直线上,当难以满足时,刚度中心与质量中心的偏离不应大于相对应边长的 3%。
  8 应减小隔振体系的质量中心和隔振器水平反力作用线之间的距离,隔振器顶面宜布置在同一水平面内。
  9 应留有隔振器的安装和维护所需的空间。
  10 弹簧隔振基础的四周应与建筑物隔离,缝宽宜为 50mm～100mm,并不宜小于隔振台座板厚的 1/30。
  11 隔振体系与生产管道宜采用柔性连接。
4.1.4 隔振体系控制点的总振动值不应大于容许振动值,容许振动值应按本规范第 3.2.10 条的规定采用。
4.1.5 破碎机、风机、泵、电动机类旋转式机器的隔振设计应符合下列规定:
  1 宜采用圆柱螺旋弹簧隔振器或橡胶隔振器,对于重型破碎机宜采用串联式压缩型橡胶隔振器;
  2 机器台座的平面尺寸应由工艺专业提出要求,台座的质量取值应通过计算确定,并应符合本规范第 4.1.3 条第 1 款和第 2

款的规定；

3 当缺乏扰力资料时，扰力可按本规范第 8 章及附录 B 提供的近似方法计算。

4.1.6 往复式机器的隔振设计应符合下列规定：

1 往复式机器的隔振设计，其台座的平面尺寸应由工艺专业提出要求，台座质量应通过计算确定。

2 隔振器的选用应符合下列规定：

　1）宜采用竖向和水平刚度接近、配有竖向和水平向阻尼的圆柱弹簧隔振器；对于工作转速不低于 600r/min 的机器隔振时，也可采用水平刚度与竖向刚度相差较小的橡胶隔振器。

　2）隔振体系的阻尼比不应小于 0.05。

4.1.7 隔振设计时，应分别计算在单一扰力或扰力矩作用下，隔振体系控制点的振动线位移、振动速度和振动加速度；多个扰力、扰力矩同时作用下产生的总振动线位移、总振动速度和总振动加速度应按本规范第 3.2.8 条的规定计算。

4.2 隔振体系的设计参数

4.2.1 隔振体系的传递率（η_0）应根据机器的性能、工作转速及环境要求确定，取值不宜大于 0.1。

4.2.2 隔振设计时，应按初步设定的隔振体系的传递率及容许振动线位移，并应按此要求计算出隔振体系的下列基本参数值：

1 隔振体系固有频率最大值；

2 隔振体系的总动刚度最大值；

3 台座质量的最小值；

4 隔振体系阻尼比最小值。

4.2.3 台座质量的最小值应符合下式要求：

$$m_{2\min} \geqslant \frac{P_{zk}}{[d]\omega^2} - m_1 \tag{4.2.3}$$

式中：m_1——隔振对象（机器）的质量（kg）；
　　　$m_{2\min}$——台座的最小质量（kg）；
　　　P_{zk}——作用在隔振体系上的竖向扰力标准值（N）；
　　　$[d]$——机器容许的竖向振动线位移（m）；
　　　ω——机器的扰力圆频率（rad/s）。

4.2.4 隔振体系沿 $v(v=x、y、z)$ 轴固有频率的最大值应符合本规范第4.1.3条第5款的规定，并应符合下式要求：

$$\omega_{nv\max} \leqslant \omega\sqrt{\frac{\eta_0}{1+\eta_0}} \qquad (4.2.4)$$

式中：$\omega_{nv\max}$——隔振体系的 v 轴最大固有频率（rad/s）。

4.2.5 隔振体系动刚度的最大值应符合下列公式要求：

$$K_{v\max} \leqslant m\omega_{nv\max}^2 \qquad (4.2.5\text{-}1)$$

$$m = m_1 + m_2 \qquad (4.2.5\text{-}2)$$

式中：$K_{v\max}$——隔振体系 v 轴的最大动刚度（N/m）；
　　　m——隔振体系的总质量（kg）；
　　　m_2——台座的质量（kg）。

4.2.6 单个隔振器的竖向动刚度、竖向承载力应按下列公式计算：

$$k_i \leqslant \frac{K_{z\max}}{n} \qquad (4.2.6\text{-}1)$$

$$P_i \geqslant \frac{mg + 1.5P_{zk}}{n} \qquad (4.2.6\text{-}2)$$

式中：k_i——单个隔振器的动刚度（N/m）；
　　　P_i——单个隔振器的承载力（N）；
　　　n——隔振器的数量；
　　　g——重力加速度，取 9.81m/s^2。

4.2.7 隔振体系沿或绕 $v(v=x、y、z)$ 轴的振动阻尼比最小值，应符合下式要求：

$$\zeta_{v\min} \geqslant \frac{P_{ovk}}{2[d_{v\max}]K_{v\max}}\left(\frac{\omega_{nv\max}}{\omega}\right)^2 \qquad (4.2.7)$$

式中:ζ_{vmin}——隔振体系沿 v 轴的阻尼比最小值;

$[d_{vmax}]$——机器在开停机过程中容许的最大振动线位移(m),由机器制造部门提供,如不能提供时可取 5 倍容许值$[d]$;

P_{ovk}——作用在隔振体系沿 v 轴的扰力标准值(N)。

4.3 隔 振 计 算

4.3.1 在确定隔振器种类、数量及平面布置、台座结构形式后,可进行隔振计算。当隔振体系的隔振方式符合本规范第 4.1.3 条第 1 款的要求,在垂直扰力作用下,隔振体系的质量中心和支承反力的中心在水平方向的偏心距满足本规范第 4.1.3 条第 7 款的要求时;且在水平扰力和扰力矩作用下,隔振体系的质量中心至隔振器水平反力合力作用线之间的距离 h_2 不超过平行于扰力方向的基础底边长度的 15%时,隔振体系在 6 个方向均可按独立的单自由度计算,并应符合本规范第 4.3.2 条~第 4.3.7 条的规定。

4.3.2 隔振体系沿或绕 $v(v=x,y,z)$ 轴的总动刚度可按下列公式计算,且其值应满足等于或小于本规范第 4.2.5 条对隔振体系总动刚度最大值(K_{vmax})的要求:

$$K_v = \sum_{i=1}^{n} k_{vi} \quad (4.3.2\text{-}1)$$

$$K_{\varphi x} = \sum_{i=1}^{n} k_{yi} z_i^2 + \sum_{i=1}^{n} k_{zi} y_i^2 \quad (4.3.2\text{-}2)$$

$$K_{\varphi y} = \sum_{i=1}^{n} k_{xi} z_i^2 + \sum_{i=1}^{n} k_{zi} x_i^2 \quad (4.3.2\text{-}3)$$

$$K_{\varphi z} = \sum_{i=1}^{n} k_{xi} y_i^2 + \sum_{i=1}^{n} k_{yi} x_i^2 \quad (4.3.2\text{-}4)$$

式中:k_{vi}——第 i 个隔振器的 x、y、z 轴向动刚度(N/m),应根据所选隔振器种类按本规范附录 D 中所列相应隔振器的动力性能参数的计算规定计算,也可直接从产品样本中选取;

K_v——分别为隔振体系沿 x、y、z 轴向的总动刚度（N/m）；

$K_{\varphi x}$、$K_{\varphi y}$、$K_{\varphi z}$——分别为隔振体系绕 x、y、z 轴旋转的动刚度（N·m）；

x_i、y_i、z_i——分别为第 i 个隔振器的 x、y、z 轴坐标值（m），坐标原点为隔振体系的质量中心点。

4.3.3 隔振体系沿或绕 $v(v=x、y、z)$ 轴的固有频率可按下列公式计算，且其值应满足小于或等于本规范第4.2.4条隔振体系固有频率的最大值（$\omega_{nv\max}$）的要求：

$$\omega_{nv}=\sqrt{\frac{K_v}{m}} \quad (4.3.3\text{-}1)$$

$$\omega_{n\varphi v}=\sqrt{\frac{K_{\varphi v}}{J_v}} \quad (4.3.3\text{-}2)$$

式中：ω_{nv}——隔振体系沿 v 轴向的固有频率（rad/s）；

$\omega_{n\varphi v}$——隔振体系绕 v 轴向的固有频率（rad/s）；

J_v——隔振体系绕 x、y、z 轴旋转的转动惯量（kg·m²），坐标原点为隔振体系的质量中心点。

4.3.4 隔振体系沿或绕 $v(v=x、y、z)$ 轴的阻尼比可按下列公式计算，其值应满足本规范第4.2.7条隔振体系对阻尼比最小值 $\zeta_{v\min}$ 的要求：

$$\zeta_v=\frac{\sum_{i=1}^{n}\zeta_{vi}k_{vi}}{K_v} \quad (4.3.4\text{-}1)$$

$$\zeta_{\varphi x}=\frac{\zeta_y\dfrac{\omega_{n\varphi x}}{\omega_{ny}}\sum_{i=1}^{n}k_{yi}z_i^2+\zeta_z\dfrac{\omega_{n\varphi x}}{\omega_{nz}}\sum_{i=1}^{n}k_{zi}y_i^2}{K_{\varphi x}} \quad (4.3.4\text{-}2)$$

$$\zeta_{\varphi y}=\frac{\zeta_z\dfrac{\omega_{n\varphi y}}{\omega_{nz}}\sum_{i=1}^{n}k_{zi}x_i^2+\zeta_x\dfrac{\omega_{n\varphi y}}{\omega_{nx}}\sum_{i=1}^{n}k_{xi}z_i^2}{K_{\varphi y}} \quad (4.3.4\text{-}3)$$

$$\zeta_{\varphi z} = \frac{\zeta_x \frac{\omega_{n\varphi z}}{\omega_{nx}} \sum_{i=1}^{n} k_{xi} y_i^2 + \zeta_y \frac{\omega_{n\varphi z}}{\omega_{ny}} \sum_{i=1}^{n} k_{yi} x_i^2}{K_{\varphi z}} \quad (4.3.4\text{-}4)$$

式中：ζ_v——隔振体系沿 x、y、z 轴的阻尼比；

ζ_{vi}——第 i 个隔振器沿 x、y、z 轴的阻尼比，应根据所选隔振器或阻尼器种类确定；

$\zeta_{\varphi x}$、$\zeta_{\varphi y}$、$\zeta_{\varphi z}$——隔振体系绕 x、y、z 轴作转动的阻尼比。

4.3.5 隔振体系的振动传递率可按下列公式计算：

$$\eta_v = \frac{1}{\sqrt{\left[1 - \left(\frac{\omega}{\omega_{nv}}\right)^2\right]^2 + \left(2\zeta_v \frac{\omega}{\omega_{nv}}\right)^2}} \quad (4.3.5\text{-}1)$$

$$\eta_{\varphi v} = \frac{1}{\sqrt{\left[1 - \left(\frac{\omega}{\omega_{n\varphi v}}\right)^2\right]^2 + \left(2\zeta_{\varphi v} \frac{\omega}{\omega_{n\varphi v}}\right)^2}} \quad (4.3.5\text{-}2)$$

式中：η_v——隔振体系沿 x、y、z 轴方向振动的传递率；

$\eta_{\varphi v}$——隔振体系绕 x、y、z 轴方向旋转振动的传递率。

4.3.6 隔振体系质量中心处沿或绕 $v(v=x、y、z)$ 轴的振动位移值可按下列公式计算：

$$d_v = \frac{P_{ovk}}{K_v} \eta_v \quad (4.3.6\text{-}1)$$

$$d_{\varphi v} = \frac{M_{ovk}}{K_{\varphi v}} \eta_{\varphi v} \quad (4.3.6\text{-}2)$$

式中：d_v——隔振体系质量中心处沿 v 轴的振动线位移(m)；

$d_{\varphi v}$——隔振体系质量中心处绕 v 轴旋转的振动角位移(rad)；

P_{ovk}——作用在隔振体系质量中心处沿 v 轴的扰力标准值(N)；

M_{ovk}——作用在隔振体系质量中心处绕 v 轴旋转的扰力矩标准值(N·m)。

4.3.7 隔振体系在单一工作频率的扰力和扰力矩同时作用下，振动控制点处的总振动线位移可按下列公式计算：

$$d_{xk}=d_x+d_{\varphi y}\cdot z+d_{\varphi z}\cdot y \qquad (4.3.7\text{-}1)$$
$$d_{yk}=d_y+d_{\varphi x}\cdot z+d_{\varphi z}\cdot x \qquad (4.3.7\text{-}2)$$
$$d_{zk}=d_z+d_{\varphi x}\cdot y+d_{\varphi y}\cdot x \qquad (4.3.7\text{-}3)$$

式中：d_{xk}、d_{yk}、d_{zk}——分别为隔振体系控制点沿 x、y、z 轴向的线位移（m）；

x、y、z——分别为隔振体系控制点的 x、y、z 轴坐标值（m），坐标原点为隔振体系的质量中心点；

d_x、d_y、d_z——分别为隔振体系质量中心处沿 x、y、z 轴向的振动线位移；

$d_{\varphi x}$、$d_{\varphi y}$、$d_{\varphi z}$——分别为隔振体系质量中心处绕 x、y、z 轴向的振动角位移。

4.3.8 机器通过隔振体系传递给下部基础结构的动力荷载应按下式计算：

$$F_k=P_k\cdot \eta \qquad (4.3.8)$$

式中：F_k——传递给下部结构的动力荷载标准值（N）；

P_k——机器的扰力标准值（N）；

η——隔振体系的传递率。

4.3.9 当所选用的隔振体系不满足本规范第 4.3.1 条的要求，或隔振体系须设二次隔振时，隔振体系的计算应按双自由度计算。隔振体系的双自由度计算应符合现行国家标准《隔振设计规范》GB 50463 的有关规定。

4.4 隔振材料、隔振器与阻尼器

4.4.1 隔振器、阻尼器的设计、选用应符合下列规定：

  1 应具有良好的耐久性，性能稳定；

  2 隔振器应弹性好、刚度低、承载力大，并应具有符合要求的阻尼性能；

  3 隔振器在静力荷载作用下的变形应大于可能产生的动变形；

4 隔振器的刚度与阻尼性能应符合使用环境要求；当使用环境有腐蚀介质时，隔振器和阻尼器与腐蚀介质的接触面应具有耐腐蚀性；

5 隔振器和阻尼器应根据隔振对象的频率，以及隔振器的承载力、竖向和水平向刚度、阻尼比或阻尼系数等性能参数选用；

6 隔振器和阻尼器宜选用定型产品，当定型产品不能满足设计要求时，可另行设计。

4.4.2 圆柱螺旋弹簧隔振器的选用、选材、设计应符合下列规定：

1 圆柱螺旋弹簧隔振器宜配置阻尼器，阻尼器的行程、侧向变位空间和使用寿命应与弹簧相匹配。

2 螺旋弹簧的选材宜符合下列规定：
  1）弹簧直径小于 8mm 时，宜采用优质碳素弹簧钢丝或硅锰弹簧钢丝；
  2）直径为 8mm～12mm 时，宜采用硅锰弹簧钢丝或铬钒弹簧钢丝；
  3）直径大于 12mm 时，宜采用热轧硅锰弹簧钢丝或热轧圆钢；
  4）当有防腐要求时，宜选择不锈钢弹簧钢丝或圆钢。

3 圆柱螺旋弹簧容许剪应力的取值应符合下列规定：
  1）应按弹簧材料Ⅱ类荷载取值；
  2）成品圆柱螺旋弹簧在试验负荷下压缩或压并 3 次后产生的永久变形，不得大于其自由高度的 0.3%。

4 圆柱螺旋弹簧的动力参数可按本规范附录 D 计算确定。

4.4.3 橡胶隔振器选材、选用、设计应符合下列规定：

1 橡胶隔振器的橡胶材料应根据隔振对象、使用要求、振动频率、工作荷载及蠕变、疲劳和老化等特性综合确定。

2 橡胶隔振器的选型宜符合下列规定：
  1）当承受的竖向荷载不大，且机器转速大于 1600r/min，或安装隔振器部位空间受限制时，可采用压缩型橡胶隔振器；

 2）当承受的竖向荷载大，且机器转速在300r/min～600r/min时，可采用串联式压缩型橡胶隔振器；

 3）当承受的竖向荷载较小，且机器转速大于或等于600r/min，或要求振动主方向的刚度较低时，可采用剪切型橡胶隔振器。

 3 压缩型、剪切型橡胶隔振器的容许应力与容许应变可按表4.4.3-1采用；串联式压缩型橡胶隔振器的容许应力可按本规范附录D确定。

表 4.4.3-1 橡胶隔振器的容许应力与容许应变

橡胶隔振器的受力类型	容许应力$\times 10^4$(N/m^2)		容许应变	
	静态	动态	静态	动态
压缩型	300	100	0.15	0.05
剪切型	150	40	0.28	0.10

注：表中的数值是橡胶的肖式硬度在40Hs以上的指标。

 4 橡胶隔振器的动力参数可按本规范附录D的规定计算确定。

 5 橡胶隔振器的竖向极限压应力和竖向刚度的变化率不应大于30%。

 6 橡胶隔振器的阻尼比宜取0.07～0.10。

 7 橡胶隔振器的老化、蠕变、疲劳等耐久性能应符合表4.4.3-2的规定。

表 4.4.3-2 橡胶隔振器的老化、蠕变、疲劳的性能要求

序号	项 目		性 能 要 求
1	老化	竖向刚度、水平刚度、等效粘滞阻尼比、水平极限变形能力	变化率不应大于20%
		支座外观	目视无龟裂

续表 4.4.3-2

序号	项目		性能要求
2	蠕变		蠕变量不应大于橡胶层总厚度的5%
3	疲劳	竖向刚度、水平刚度、等效粘滞阻尼比	变化率不应大于20%
		支座外观	目视无龟裂

4.4.4 组合隔振器的采用、设计应符合下列规定：

1 当采用钢弹簧隔振器不能满足隔振体系阻尼或变形要求，且采用橡胶隔振器又不能满足隔振体系低固有频率的设计要求时，可采用圆柱螺旋弹簧与橡胶组合隔振器，隔振器的组合形式可采用群体式或间隔式（图 4.4.4-1）。

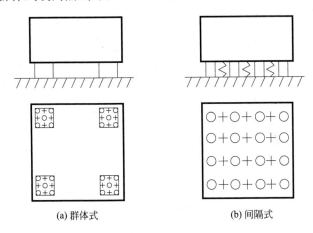

(a) 群体式　　　　　(b) 间隔式

图 4.4.4-1 组合隔振器的形式
注：○表示橡胶，+表示弹簧。

2 组合隔振器（图 4.4.4-2）的竖向动刚度和阻尼比可按下列公式计算：

1) 并联组合隔振器：

$$K_{zh} = K_{zR} + K_{zS} \quad (4.4.4\text{-}1)$$

$$\zeta_{zh} = \frac{\zeta_S K_{zS} + \zeta_R K_{zR}}{K_{zS} + K_{zR}} \qquad (4.4.4\text{-}2)$$

2）串联组合隔振器：

$$K_{zh} = \frac{K_{zS} K_{zR}}{K_{zS} + K_{zR}} \qquad (4.4.4\text{-}3)$$

$$\zeta_{zh} = \frac{\zeta_S K_{zR} + \zeta_R K_{zS}}{K_{zS} + K_{zR}} \qquad (4.4.4\text{-}4)$$

式中：K_{zh}——组合隔振器竖向总动刚度（N/m）；

ζ_{zh}——组合隔振器阻尼比；

K_{zS}——圆柱螺旋弹簧隔振器的刚度（N/m）；

K_{zR}——橡胶隔振器的动刚度（N/m）；

ζ_S——圆柱螺旋弹簧隔振器的阻尼比；

ζ_R——橡胶隔振器的阻尼比。

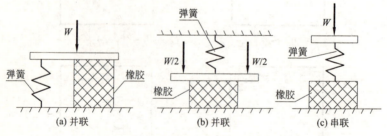

图 4.4.4-2　并联、串联组合隔振器示意

3 并联组合隔振器中，圆柱螺旋弹簧隔振器与橡胶隔振器的自由高度不同时，应在较低高度的隔振器下设置支垫（图 4.4.4-3），支垫的高度可按下列公式计算：

$$H_{zH} = H_{OS} - H_{OR} - \Delta_{SP} + \Delta_{RP} \qquad (4.4.4\text{-}5)$$

$$\Delta_{SP} = \frac{P_S}{K_{zS}} \qquad (4.4.4\text{-}6)$$

$$\Delta_{RP}=\frac{P_R}{K_{zR}} \quad (4.4.4\text{-}7)$$

$$P_S=1.5[d]K_{zS} \quad (4.4.4\text{-}8)$$

$$P_R=W-P_R \quad (4.4.4\text{-}9)$$

式中：H_{zH}——支垫的高度(m)；

H_{OS}——圆柱螺旋弹簧隔振器的自由高度(m)；

H_{OR}——橡胶隔振器的自由高度(m)；

Δ_{SP}——圆柱螺旋弹簧隔振器的静力变形(m)；

Δ_{RP}——橡胶隔振器的静力变形(m)；

P_S——圆柱螺旋弹簧隔振器承受的压力(N)；

P_R——橡胶隔振器承受的压力(N)；

W——隔振体系的重力(N)。

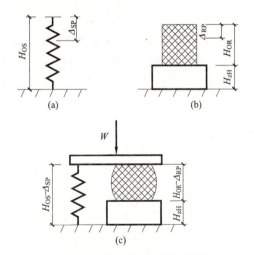

图 4.4.4-3 并联组合隔振器元件的支墩高度示意

4.4.5 隔振体系中与圆柱螺旋弹簧隔振器组合使用的阻尼器宜采用粘流体阻尼器，阻尼器的选型宜根据粘流体材料的运动粘度及隔振对象的振动性能、振动幅值的控制值，选用定型产品中相应适合形式的阻尼器。

4.4.6 阻尼器的设计应符合下列规定：

  1 阻尼器体积较小时，阻尼器可在隔振器箱体内与弹簧并联设置；阻尼器体积较大时，阻尼器可与隔振器相互独立并联设置；

  2 阻尼器应沿隔振器刚度中心对称布置，其位置应靠近竖向或水平向刚度最大处；

  3 独立设置的阻尼器底部应与隔振台座可靠连接；

  4 片型阻尼器可设计成矩形，也可设计成圆筒形。

4.4.7 隔振体系沿或绕 $v(v=x,y,z)$ 轴的阻尼比可按下列公式计算：

$$\zeta_v = \frac{C_{zv}}{2\sqrt{K_v m}} \quad (4.4.7\text{-}1)$$

$$\zeta_{\varphi v} = \frac{C_{\varphi v}}{2\sqrt{K_{\varphi v} J_v}} \quad (4.4.7\text{-}2)$$

式中：C_{zv}、$C_{\varphi v}$——阻尼器沿或绕 v 轴振动时的阻尼系数。应根据定型阻尼器产品样本选取，也可按现行国家标准《隔振设计规范》GB 50463 的有关规定计算。

5 破碎机、磨机基础

5.1 破碎机基础

5.1.1 本节适用于颚式、旋回式、圆锥式、锤式、反击式和辊式破碎机基础的设计。

5.1.2 破碎机基础设计时，除应取得本规范第3.1.1条规定的有关资料外，尚应取得下列资料：

  1 破碎机、电机的相互位置及传动方式；

  2 破碎机扰力及其作用位置；当难以提供机器扰力时，可根据破碎机类型按本规范附录B第B.1节的公式近似计算扰力。

5.1.3 破碎机基础应采用钢筋混凝土结构，其形式可为大块式、墙式基础，也可采用构架式基础；破碎机与其传动电机宜放在一个整体基础上。

5.1.4 墙式基础各构件应符合表5.1.4的构造尺寸要求。

表5.1.4 墙式基础构造尺寸(mm)

构　件	构　造　尺　寸
基础顶板厚度	宜大于或等于600，并不应小于顶板净跨度的1/6
悬臂顶板悬出长度	宜小于或等于1500
与水平扰力平行的墙厚	宜大于或等于400，墙的高厚比宜小于或等于6
与水平扰力垂直的墙厚	宜大于或等于500，墙的高厚比宜小于或等于4
基础底板厚度	宜大于或等于600，并宜大于或等于墙厚；联合基础宜大于或等于800
底板悬臂长度	宜小于或等于底板厚度的2.5倍

注：2台～3台破碎机可设置在同一基础上，构成联合基础。

5.1.5 构架式基础的布置应符合下列规定：

  1 基础整体几何图形及构件形状应对称于机器回转轴线的

垂直平面；

　　2 横梁及纵梁轴线宜通过柱中心线；

　　3 当基础顶板上的孔洞较大时，宜加大纵、横梁的宽度，或在洞口边缘设置暗梁，梁柱节点处梁端应加腋；

　　4 构架式基础构件的最小尺寸应符合表5.1.5的要求。

表5.1.5　构架式基础构造尺寸(mm)

构件名称	构造尺寸
顶板厚或横梁高	宜大于或等于600；并不应小于顶板、梁净跨度的1/6
悬臂梁	悬出长度宜小于或等于1500，且应小于梁高的1.25倍
柱截面	边长宜大于或等于500，柱的长细比宜取12～14
基础底板	板厚宜大于或等于600，并不应小于柱截面边长

5.1.6　通过锚杆、锚桩将基础与基岩连接为整体的锚杆基础，可按构造确定基础尺寸，大块式基础可不进行动力计算。

5.1.7　对于低频的破碎机基础，宜使基组水平固有频率高于机器的扰力频率，并可采用扩大基础底面面积、减小基础的质量、提高对基础侧面回填土密实度的要求、使基础与混凝土地面相连等措施。

5.1.8　破碎机基础的配筋应符合下列规定：

　　1 对于大块式和墙式基础的配筋，可按本规范第3.4.7条和第3.4.8条的规定采用；

　　2 构架式基础的配筋应按计算确定，其构造配筋应符合本规范第3.4.9条和第8.5节的规定。

5.1.9　破碎机基础的静力计算除应符合本规范第3.2.1条的规定外，尚应符合下列规定：

　　1 基础底面边缘的最大压力应按下列公式计算：

$$P_{max} = \frac{G_k}{A} + \frac{M_k}{W} \leqslant 1.2\alpha_1\alpha_2 f_a \quad (5.1.9\text{-}1)$$

$$M_k = N_x \cdot h \quad (5.1.9\text{-}2)$$

$$N_x = F_{xk} \cdot \mu \qquad (5.1.9\text{-}3)$$

式中：P_{max}——相应于荷载效应标准组合，并计及机器水平当量荷载影响时，基础底面边缘的最大压力值（kPa）；

　　　G_k——机器基础和基础上填土等静荷载的标准值（kN）；

　　　A——基础底面积（m²）；

　　　W——基础底面的抵抗矩（m³）；

　　　M_k——由机器当量荷载产生在基础底面的弯矩（kN·m）；

　　　F_{xk}——机器水平扰力标准值（kN）；

　　　N_x——由机器水平扰力产生的当量荷载（kN）；

　　　h——机器水平扰力作用位置至基础底面的距离（m）；

　　　μ——放大系数，与被破碎的物料普氏硬度（f_{kp}）有关，当 $f_{kp}<10$ 时，可取 3；$10 \leqslant f_{kp} \leqslant 15$ 时，可取 4；$f_{kp}>15$ 时，可取 5；

　　　α_1、α_2、f_a——应按本规范第 3.2.3 条的规定取值。

2 破碎机基础构件承载力的验算应符合现行国家标准《混凝土结构设计规范》GB 50010 的规定，荷载效应组合时，作用于基础构件的弯矩应按下式计算：

$$M = M_0 + \mu \cdot M_d \qquad (5.1.9\text{-}4)$$

式中：M——作用于基础构件上的弯矩（kN·m）；

　　　M_0——构件按静荷载计算的弯矩（kN·m）；

　　　M_d——机器扰力标准值产生的弯矩（kN·m）。

5.1.10 破碎机基础的荷载及其组合应符合本规范第 3.2.14 条的规定。

5.1.11 破碎机基础的动力计算应符合下列规定：

1 大块式基础应按本规范附录 A 的内容计算；

2 墙式基础的竖向振动可按大块式基础计算，水平向振动可按构架式基础计算；

3 构架式基础可只计算水平扰力作用下产生的振动，可按本规范第 A.2.5 条的公式计算，但可不计本规范第 A.2.5 条公式中的扭转项；

4 联合基础的动力计算，当机器扰频相同，在进行振动线位移计算时，可将两台机器扰力的绝对值相加，计算出的振动线位移可乘以 0.75 的折减系数，在计算振动线位移时，尚应计算一台机器停机时的扭转振动。

5.2 磨机基础

5.2.1 本节适用于被研磨物料温度为常温状态的球磨机、棒磨机、管磨机及自磨机基础设计。

5.2.2 磨机基础设计时，除应取得本规范第 3.1.1 条规定的有关资料外，尚应由机器制造厂提供下列资料：

　　1 磨机、电机和减速器的相互位置及传动方式；

　　2 磨机内碾磨体的总重（含机壳、内衬重）；

　　3 磨机筒体中心线距基础顶面的距离；

　　4 磨机应明确滚筒回转方向。

5.2.3 磨机基础宜采用钢筋混凝土结构，其形式宜为大块式、墙式基础。

5.2.4 磨机基础宜采用整体底板；当球磨机、棒磨机建造在土质均匀、地基承载力特征值（f_{ak}）大于 250kPa 的地基上时，其磨头和磨尾亦可分别采用独立基础，但电机和减速装置与后轴承不应分设在各自独立的基础上；管磨机的磨头和磨尾可分别采用独立基础。

5.2.5 当磨机基础与磨机的质量比符合本规范附录 C 的要求时，磨机基础可不进行动力计算，磨机受偶然性动力荷载的影响也可不计算。

5.2.6 地基承载力验算除应符合本规范第 3.2.3 条的要求外，尚应进行下列内容的计算：

　　1 磨机每端轴承中心线处的定向水平当量荷载 N_x 及弯矩 M_y（图 5.2.6）可按下列公式计算：

$$N_x = 0.15 W_r \quad (5.2.6-1)$$
$$M_y = 2 N_x h \quad (5.2.6-2)$$

式中：N_x——磨机每端轴承中心线处的水平当量荷载(kN)；

W_r——磨机内碾磨体及物料总重(kN)；

h——N_x至基础底面的距离(m)。

2 基础底面地基最大压力应符合下式要求：

$$P_{max} = \frac{G_k}{A} + \frac{M_y}{W} \leqslant 1.2 \alpha_1 \alpha_2 f_a \quad (5.2.6-3)$$

式中：M_y——由水平当量荷载 N_x 产生的弯矩(kN·m)；

G_k——机器、基础、基础上填土及磨机内碾磨体及物料总重(kN)；

W——基础底面的抵抗矩(m^3)；

A——基础底面积(m^2)；

α_1、α_2、f_a——应按本规范第3.2.3条的规定取值。

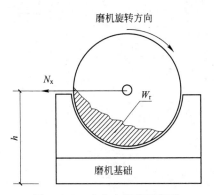

图 5.2.6 定向水平当量荷载

5.2.7 磨机基础的配筋要求应符合本规范第3.4.7条和第3.4.8条的规定。

5.2.8 磨机基础与操作台宜脱开配置，当平台柱布置确有困难时，可在磨机基础上伸出牛腿，平台梁应简支搁在牛腿上。

5.2.9 立磨机基础的设计应提供立式旋转部件和物料的重量及扰力,立磨机基础的动力计算可按旋转式机器进行设计。

5.3 其他滚筒类机器基础

5.3.1 其他滚筒类机器应包括圆筒混合机、圆筒过滤机、滚筒冷却机、滚筒洗涤机等类型,其他滚筒类机器基础可不作动力计算。

5.3.2 机器基础宜采用大块式、墙式基础,当机器基础建造在土质均匀、地基承载力特征值(f_{ak})大于 250kPa 时,同一机器可选用多个独立基础,并应避免各基础间出现不容许的差异沉降。

5.3.3 机器基础的设计可按本规范第 5.2 节的有关规定执行。

6 提升、选别设备基础

6.1 提升机基础

6.1.1 提升机基础的设计应符合下列规定：

1 提升机基础应避免建在废石堆场及软弱土层上，当不可避免时，应进行地基处理。

2 提升机基础底面应设在同一持力层上，当基础部分坐落在基岩，部分坐落在松软土层上，或坐落在表面坡度大于10%的基岩时，应进行地基处理。

3 提升机基础宜与机房基础分开。提升机基础与机房基础在满足土体稳定等条件下可设于不同标高。

4 提升机宜采用大块式基础，电机、减速器应与提升机置于同一个基础上，厂房的楼板梁可简支支承在提升机基础的预留槽口里，亦可简支支承在基础外壁的另设牛腿上。

6.1.2 提升机基础的设计计算应符合下列规定：

1 提升机基础可不进行动力计算。

2 提升机正常运行时，钢绳的工作荷载标准值、钢绳的断绳荷载标准值以及钢丝绳仰角等参数应由工艺专业提供。

3 正常工作时，钢绳对提升机所产生的荷载应为可变荷载，其标准值 P 应为两侧所有钢绳的工作荷载之和(图6.1.2)。

4 断绳时，钢绳对提升机所产生的荷载应为偶然荷载，其标准值应等于两侧钢绳荷载之和，两侧钢绳荷载的确定应符合下列规定(图6.1.2)：

    1)对于单绳提升，其中一侧钢绳取一根断绳荷载标准值，另一侧取一根钢绳工作荷载的2倍；

    2)对于多绳提升，其中一侧应取所有钢绳的断绳荷载标准值,另一侧应取所有钢绳的33%的断绳荷载。

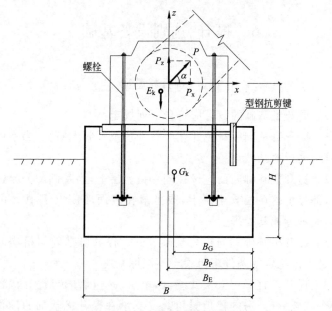

图6.1.2 提升机基础计算示意

5 提升机基础的基底压力应按正常工作时荷载效应的标准组合进行计算,应符合现行国家标准《建筑地基基础设计规范》GB 50007的有关规定,且基底合力的偏心距不应大于基础相应边长的1/6。

6 提升机基础应按下式分别对提升机正常工作时、断绳时的抗倾覆稳定性进行计算:

$$\frac{G_k \cdot B_G + E_k \cdot B_E}{P_x \cdot H + P_z \cdot B_P} \geqslant K_0 \quad (6.1.2\text{-}1)$$

式中:K_0——倾覆稳定安全系数,正常工作时取1.6,断绳时取1.2;

E_k——提升机设备自重标准值(kN);

P_x——提升机正常工作、断绳时,钢绳作用在提升机上的合力 P 的水平分力(kN);

P_z——提升机正常工作、断绳时,钢绳作用在提升机上的合力 P 的竖向分力(kN);

G_k——提升机基础自重标准值(kN);
B_G——基础质心至基础前边缘的距离(m);
B_E——设备质心至基础前边缘的距离(m);
B_p——卷筒中心至基础前边缘的距离(m)。

7 提升机基础应按下式分别对提升机正常工作时、断绳时的抗滑移稳定性进行计算:

$$\frac{(E_k+G_k-P_z)\cdot\mu}{P_x}\geqslant K_c \quad (6.1.2\text{-}2)$$

式中:K_c——滑移稳定安全系数,正常工作时取1.3,断绳时取1.05;
　　　μ——混凝土基础底板与地基土的摩擦系数,可按表6.1.2选用,必要时由试验确定。

表6.1.2 混凝土基础底板与地基土的摩擦系数

地基土的类别		摩擦系数 μ
黏性土	可塑	0.25～0.30
	硬塑	0.30～0.33
	坚塑	0.35～0.45
粉土		0.30～0.40
中砂、粗砂、砾砂		0.40～0.50
碎石土		0.40～0.60
软质岩		0.40～0.60
表面粗糙的硬质岩		0.65～0.75

8 当提升机基础抗倾覆、抗滑移稳定性计算不满足本条第6款和第7款的要求时,可采取加大基础自重,设置锚杆、锚桩、抗剪键和抗滑移板等技术措施。

9 提升机基础中螺栓孔宜采用预埋钢管,并应验算螺栓垫板处混凝土的局部受压承载力。局部压力应按断绳荷载作用下的螺栓拉力确定。

10 提升机前的型钢抗剪键截面应按断绳荷载作用下的水平力计算确定。型钢埋入基础的长度应满足混凝土局部受压承载力的要求。

6.1.3 提升机基础的构造要求宜符合下列规定：

 1 提升机基础底板厚度的选取宜符合下列规定：

  1) 卷筒直径 3m 以上取 1.3m～1.5m；

  2) 直径 3m 取 1.2m；

  3) 直径 3m 以下取 1.0m；

  4) 当有设计经验时，基础底板厚度可减小。

 2 基础的混凝土强度等级不应低于 C25，宜沿基础四周和顶、底面配置钢筋网，钢筋直径宜为 10mm～16mm，间距宜为 200mm～250mm，基础内的沟、孔、坑等局部削弱部分应配置直径不小于 14mm 的加强钢筋。

 3 提升机基础四周的填土应在设备安装前回填并分层夯实，回填土的压实系数不应小于 0.95。

 4 地脚螺栓轴线距基础边缘的距离不应小于螺栓直径的 4 倍，预留孔边距基础边不应小于 150mm；当不能满足要求时，应采取加强措施。其他要求应符合本规范附录 E 的有关规定。

 5 设备底座至基础表面应根据设备安装要求留出调整间隙，在设备安装前应以高于基础一个强度等级的微膨胀细石混凝土或无收缩灌浆料做二次浇灌，二次浇灌层厚度不宜小于 50mm。

6.2 摇床基础

6.2.1 本节适用于凸轮杠杆式床头和偏心连杆式床头的基础设计。

6.2.2 摇床基础设计时，除应取得本规范第 3.1.1 条规定的有关资料外，尚应由机器制造厂提供下列资料：

 1 摇床结构的支承方式、床头部分的电机、滚轮的相应位置及传动方式，床面结构的支承点及弹簧的固定位置；

 2 摇床结构各运动部件的质量；

 3 摇床床面上的物料重；

 4 摇床的冲程及每分钟冲次；

5 摇床的扰力及作用位置;
6 弹簧的规格及性能,含弹簧圈数,圈的平均直径、钢条的直径及弹簧钢的剪切模量。

6.2.3 摇床基础布置应符合下列规定:

1 凸轮杠杆式摇床基础应将六个支承点放置在两个基础上,也可做成六个独立基础[图6.2.3(a)];

2 偏心连杆式摇床基础应将五个支承点放置在三个基础上,也可做成五个独立基础[图6.2.3(b)];

3 当地基承载力特征值(f_{ak})小于100kPa时,可根据设计需要将各部分基础底板联成整体。

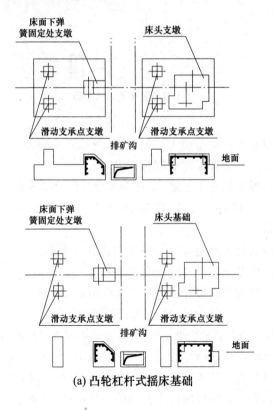

(a) 凸轮杠杆式摇床基础

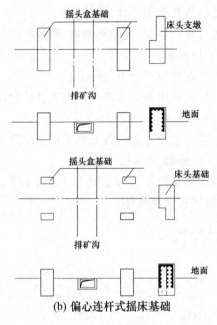

(b) 偏心连杆式摇床基础

图 6.2.3 摇床基础形式

6.2.4 以水平往复运动为主的摇床,支承点应略高于地面,摇床基础宜浅埋,其埋置深度应符合下列规定:

  1 设置在回填土上时,应符合本规范第 3.1.5 条的规定;

  2 基础埋深应满足邻近地下管沟埋深要求,且不应小于 500mm;

  3 应满足工程地质报告提出的其他具体要求。

6.2.5 摇床基础的设计应符合下列规定:

  1 支墩的截面尺寸不宜小于 500mm×500mm;

  2 当支墩底板联成一体时,基础底板的厚度不宜小于 400mm;

  3 床面下弹簧固定处支墩、床头支墩的顶面及侧面宜配置直径不小于 10mm,且间距不大于 200mm 的钢筋网,其他支墩可不配筋。

6.2.6 对凸轮杠杆式摇床,床面下弹簧固定处支墩和床头支墩不在同一基础上时,应控制两个基础的差异沉降,沉降差不应大于两个支墩中心线长度的 2/1000。

6.2.7 摇床基础的设计计算应符合本规范第 3.2.1 条的规定。

6.2.8 摇床可只计算其水平振动的影响。当难以获得摇床扰力时,摇床正常运动时产生的水平扰力的标准值可按下列公式计算:

水平向第一简谐扰力:$P'_{xk} = m_x a_1$ （6.2.8-1）

水平向第二简谐扰力:$P''_{xk} = m_x a_2$ （6.2.8-2）

式中:P'_{xk}——水平向第一简谐扰力的标准值(kN);

P''_{xk}——水平向第二简谐扰力的标准值(kN);

m_x——床面、溜动设备、轴板座、曲柄杠杆联动座等在 x 水平方向运动部件及矿料和床面上的附着物的总质量(t);

a_1、a_2——分别为第一和第二简谐扰力作用下床面的最大水平加速度(m/s²),应按本规范第 6.2.9 条确定。

6.2.9 摇床床面的最大水平加速度可按下列公式计算:

$$a_1 = \beta_1 s n_e^2 \quad (6.2.9\text{-}1)$$

$$a_2 = \beta_2 s n_e^2 \quad (6.2.9\text{-}2)$$

式中:s——床面的最大冲程(m);

n_e——床面每分钟冲击次数;

β_1,β_2——分别为第一和第二简谐运动的加速度系数,对于凸轮杠杆式摇床 $\beta_1 = 0.007$,$\beta_2 = 0.0062$;对于偏心连杆式摇床可根据冲程由图 6.2.9 确定。

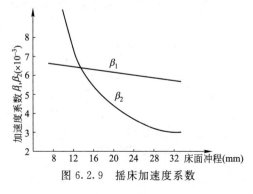

图 6.2.9 摇床加速度系数

6.2.10 摇床弹簧座处产生的动反力标准值应按下列公式计算：

$$P_{xk} = ks \quad (6.2.10\text{-}1)$$

$$k = \frac{d^4 G}{8nD^3} \quad (6.2.10\text{-}2)$$

式中：P_{xk}——弹簧产生的动反力标准值(kN)；
　　　s——床面的最大冲程(m)；
　　　k——圆柱形弹簧的刚度(kN/m)；
　　　G——弹簧材料的剪切模量，弹簧钢可取 $G=8\times10^7$ kN/m²；
　　　d——圆柱螺旋弹簧钢条的直径(m)；
　　　D——圆柱螺旋弹簧圈的平均直径(m)；
　　　n——圆柱螺旋弹簧的有效圈数，可取自然圈数减2。

6.2.11 摇床动力荷载的作用位置应按下列规定确定：

1 凸轮杠杆式摇床在床头的传动轴中心处，应计算水平扰力及弹簧的动反力，在弹簧圈中心处应计算弹簧的动反力[图6.2.11(a)]；

2 偏心连杆摇床在床头的传动轴中心处，应计算水平扰力及由于弹簧动反力产生的动力矩[图6.2.11(b)]，动力矩应按下式计算：

$$M_k = P_{xk} \cdot e \quad (6.2.11)$$

式中：M_k——由弹簧动反力产生的动力矩标准值(kN·m)；
　　　e——弹簧圈中心线与传动轴中心线间的距离(m)。

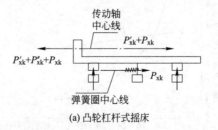

(a) 凸轮杠杆式摇床

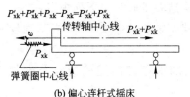

(b) 偏心连杆式摇床

图 6.2.11 摇床动荷载示意

6.2.12 摇床基础应满足本规范第 3.1.8 条对基础底面形心与基组质心间偏心的要求。

6.2.13 摇床基础符合下列条件之一时,可不进行基础振动幅值的计算:

  1 对于六个或五个支墩设置在同一底板上,或对凸轮杠杆式摇床按本规范图 6.2.3 形式做成两个基础时;

  2 当为六个或五个独立基础时,其中摇床头部及弹簧固定处的基础的质量大于传至该基础上的机器质量的 5 倍时。

6.2.14 摇床基础中,应对摇床头部及固定弹簧处支墩的承载力进行计算,且动力荷载的设计值应按本规范第 3.2.14 条取用。

6.3 其他机器基础

6.3.1 设置在地面上的分级机、浮选机、真空圆盘过滤机、真空转鼓过滤机等机器、板框式、叶滤式加压过滤机等选别设备,以及机械搅拌、空气搅拌槽、罐设备等,其基础宜采用大块式、墙式基础。

6.3.2 基础的设计计算应符合下列规定:

  1 对于过滤机类机器,基础的质量宜大于机器质量的 1.5 倍;对于浮选机类机器,基础的质量宜大于传动部分及物料质量的 1.2~1.3 倍;对于搅拌类机器,基础的质量宜大于机器质量的 1.3~1.5 倍;

  2 基础可不做动力计算;

  3 应验算基础下地基承载力;应验算机组重心与基础底面形心的偏心值,并应符合本规范第 3 章的有关规定。

6.3.3 基础的构造要求应符合下列规定：

1 不宜与建筑物基础连成一体，当基础较大且无法避免时，宜采取隔振措施；

2 大块式、墙式基础的配筋应符合本规范第 3 章的有关规定。

7 往复式机器基础

7.1 活塞式压缩机基础

7.1.1 活塞式压缩机基础设计时,除应取得本规范第 3.1.1 条规定的有关资料外,尚应由机器制造厂提供下列资料:

1 由机器的曲柄连杆机构运动所产生的第一谐、第二谐机器竖向扰力 P'_{zk}、P''_{zk} 和水平扰力 P'_{xk}、P''_{xk},第一谐、第二谐回转扰力矩 $M'_{\theta k}$、$M''_{\theta k}$ 和扭转扰力矩 $M'_{\psi k}$、$M''_{\psi k}$;当难以提供机器扰力时,可根据活塞装置的布置方式和位置按本规范第 B.2 节近似计算扰力。

2 扰力作用点 C 的位置。

3 压缩机主轴中心线至基础顶面的距离。

7.1.2 基础应采用整体式混凝土结构,其形式宜为大块式,当机器设置在厂房的二层标高时,宜采用墙式基础。

7.1.3 活塞式压缩机基础宜设置在均匀的低中压缩土层上,当地基的受力层范围内存在易发生液化和震陷的土层时,不宜采用天然地基。

7.1.4 活塞式压缩机基础的静力计算应符合本规范第 3 章的有关规定。

7.1.5 基础应避免过大的不均匀沉降,基础倾斜率应符合下列规定:

1 电机功率大于等于 1000kW 时,倾斜率应小于或等于 0.1%;

2 电机功率小于或等于 500kW 时,倾斜率应小于或等于 0.2%;

3 电机功率介于 500kW 与 1000kW 之间时,倾斜率应由插入法确定。

7.1.6 进行基础的动力计算时,坐标系统应符合下列规定:

1 确定平面尺寸时,应先确定基组坐标系与机器坐标系的关系,宜使基组质心与机器扰力作用中心位于同一竖直线上,且 x 轴为水平扰力的作用方向(图 7.1.6-1);

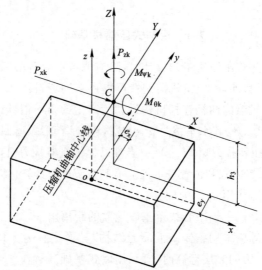

图 7.1.6-1 机器坐标系与基组坐标系关系

$CXYZ$—机器坐标系;$oxyz$—机组坐标系;C 点—扰力作用点;o 点—基组总重心

2 应按扰力、扰力矩作用方向(图 7.1.6-2)进行基础控制点的振动线位移计算。

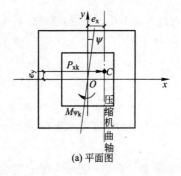

(a)平面图

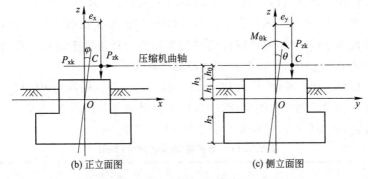

图 7.1.6-2 扰力、扰力矩作用方向示意
O 点—机组重心；C 点—扰力作用点

7.1.7 基础的动力计算应符合本规范第 A.1 节的有关规定，往复式压缩机基础的计算尚应包括下列内容：

1 基组在通过其质心的竖向扰力 P_{zk} 作用下，基组质心处竖向振动线位移；

2 基组在扭转力矩 $M_{\varphi k}$ 和水平扰力 P_{xk} 沿 y 轴向偏心作用下，产生绕 z 轴的扭转振动，基础顶面控制点 x、y 向水平振动线位移；

3 基组在水平扰力 P_{xk} 和竖向扰力 P_{zk} 沿 x 向偏心作用下，产生 x 向水平、绕 y 轴的耦合振动，基础顶面控制点的 x 向水平和竖向振动线位移；

4 基组在回转力矩 $M_{\theta k}$ 和竖向扰力 P_{zk} 沿 y 向偏心作用下产生 y 向水平、绕 x 轴回转的耦合振动，基础顶面控制点的 y 向水平和竖向振动线位移；

5 对于设置在厂房底层的大块式基础，在水平扰力作用下的简化计算可按本规范第 A.1.6 条的公式计算。

7.1.8 基础顶面控制点的总振动线位移、总振动速度和总振动加速度应按本规范第 3.2.8 条第 4 款的规定计算。

7.1.9 排气压力大于 100MPa 的超高压压缩机基础的容许振动总速度应由设备制造厂家提供。

7.1.10 除立式压缩机以外,功率小于80kW的各类压缩机基础,功率小于500kW的对称平衡型压缩机基础,且当基础质量大于压缩机质量的5倍,基础底面的平均静压力设计值小于地基承载力特征值(f_{ak})的50%时,可不做动力计算。

7.1.11 由底板、纵横墙和顶板组成的墙式基础,构件之间的构造连接应保证其整体刚度;基础顶板及其悬臂部分的厚度应按计算确定,各构件的尺寸应符合表7.1.11的规定。

表7.1.11 墙式基础构造尺寸(mm)

构 件 名 称	构 造 尺 寸
基础顶板	厚度根据计算确定并宜大于或等于150
悬臂顶板	当悬出长度小于或等于1200时,厚度根据计算确定并宜大于或等于150 当悬出长度小于或等于2000时,厚度根据计算确定并宜大于或等于300
机身部分的墙	墙厚宜大于或等于500
汽缸部分的墙	墙厚宜大于或等于400
基础底板	厚度宜大于或等于600
钢筋混凝土悬臂底板	悬出长度宜小于或等于2.5倍底板厚度

注:悬出长度为1200mm~2000mm时,悬臂板可根据厚度用直线插入法。

7.1.12 活塞式压缩机基础的配筋应符合下列规定:

1 基础底板悬臂部分的钢筋配置应按强度计算确定,应上下配筋,并应满足最小配筋率的要求;

2 当基础上开孔或切口尺寸大于600mm时,应沿开孔或切口周围配置直径不小于14mm,且间距不应大于200mm的加强钢筋网;

3 基础的构造配筋应符合本规范第3.4.7条和第3.4.8条的规定。

7.1.13 压缩机基础应与厂房操作平台脱开,当钢操作平台的钢梁或钢铺板搁置在压缩机基础上时,钢梁应设计成沿纵向可滑动的支座，钢铺板应自由地搁置在压缩机基础上。

7.2 隔膜泵基础

7.2.1 本节适用于氧化铝生产输送含碱介质并卧式配置的往复式隔膜泵基础的设计。

7.2.2 隔膜泵基础设计时，除应取得本规范第3.1.1条规定的有关资料外，尚应由设备制造商提供下列资料：

  1 由机器的曲柄连杆机构运动所产生的竖向扰力和水平向扰力；

  2 扰力作用点的位置；

  3 隔膜泵曲轴中心线至基础顶面的距离；

  4 电动机、变速器、压缩机以及主要配套装置的重量及其作用位置。

7.2.3 隔膜泵基础应采用整体式钢筋混凝土大块式结构，基础埋深除应满足冻深要求外，不宜小于1500mm。

7.2.4 隔膜泵基础应按碱性腐蚀环境进行设计，并应符合现行国家标准《工业建筑防腐蚀设计规范》GB 50046 的规定，混凝土强度等级不宜低于C30。

7.2.5 隔膜泵基础的静力计算内容应符合本规范第7.1.3条~第7.1.5条的规定。

7.2.6 隔膜泵基础的动力计算内容应符合本规范第7.1.6条~第7.1.9条的规定。

7.2.7 当隔膜泵基础的质量大于机组总质量的2倍，且基础底面的地基最大静压力设计值小于地基承载力特征值（f_{ak}）的50%时，可不做动力计算。

7.2.8 隔膜泵基础的悬臂顶板根部厚度要求应符合本规范表7.1.11的规定。

7.2.9 隔膜泵基础的构造及配筋应符合本规范第3.4节的规定。

8 旋转式机器基础

8.1 一般规定

8.1.1 本章适用于汽轮发电机、工业汽轮机、燃气轮机、透平压缩机等机组,以及风机、电动机、泵类等旋转式机器基础的设计。

8.1.2 旋转式机器宜根据不同的工作转速(n)按下列类别进行设计:

    1 工作转速小于或等于1000r/min时,宜按低转速电动机基础设计;

    2 工作转速在1000r/min~3000r/min时,宜按汽轮发电机组基础设计;

    3 工作转速大于3000r/min时,宜按透平压缩机组基础设计。

8.1.3 旋转式机器基础的设计除应取得本规范第3.1.1条规定的有关资料外,尚应补充提供下列资料:

    1 机器及其辅助、附属设备的质量及质心位置;

    2 机器的工作转速、轴系的临界转速;

    3 机器正常运行时扰力或其当量荷载标准值、作用点、作用方向;

    4 机器的操作荷载、安装检修等荷载标准值、作用区域;

    5 汽轮机凝汽器的真空吸力等荷载标准值、作用点;

    6 发电机的短路力矩、作用点;

    7 其他技术要求及资料。

8.1.4 机器基础的结构静态作用设计,应根据不同设计状况,按承载能力极限状态设计;当有变形控制要求时,应按正常使用极限状态进行变形、裂缝的验算;动态作用设计应进行动力计算或其简化计算,并应符合本规范第8.2节~第8.4节的有关规定。

8.1.5 机器基础结构安全等级不应低于二级,对提供重要的能源供应以及为确保生产安全目标选用的机组,其基础结构安全等级宜为一级。

8.1.6 机器基础底面形心与基组质心偏心限值的验算应符合本规范第3.1.8条的规定。

8.1.7 地基承载能力的验算应符合本规范第3章的有关规定；基础应避免不均匀沉降，无特殊要求时，基础的沉降差应符合下列规定：

    1 对大块式、墙式基础不宜大于纵向长度(L)的0.003；

    2 对构架式基础不宜大于相邻立柱距离(L)的0.002。

8.1.8 旋转式机器应依据工艺配置、设备类型、安装要求和场地工程地质的条件，采用大块式、墙式或构架式基础形式。地基软弱时，应采用桩基或对地基进行加固处理。

8.2 低转速电动机基础

8.2.1 本节适用于中、小型电动机，普通风机，叶片式泵，以及工作转速小于或等于1000r/min的其他旋转式机器基础的设计。

8.2.2 机器基础的扰力标准值应符合下列规定：

    1 机器的扰力应由工艺设计专业配合设备制造厂家提供。

    2 扰力值难以提供时，可按下式计算：

$$P_{vk} = m_g e \omega^2 \quad (8.2.2)$$

式中：P_{vk}——竖向或水平横向机器扰力标准值(kN)；

    m_g——机器旋转部件的质量(t)；

    ω——机器扰力圆频率(rad/s)；

    e——机器旋转部件质量偏心距(m)，如设备制造厂难以提供时，可按表8.2.2-1选用。

表 8.2.2-1 机器旋转部件偏心距 e

机器名称	工作转速 n (r/min)	旋转部件偏心距 $e(\times 10^{-3}\text{m})$	备注
电动机	<1000	0.25～0.45	工作转速低时取大值
	1000	0.25	—

续表 8.2.2-1

机器名称	工作转速 n (r/min)	旋转部件偏心距 $e(\times 10^{-3}\text{m})$	备 注
泵类	<1000	0.40~0.70	介质密度大时取大值
	1000	0.40	—
送风机	—	0.50~0.80	环境良好时取小值
引风机	—	0.70~1.00	具有磨损介质取大值
风扇磨煤机	—	1.00~1.50	用于煤质较软时
	—	1.50~2.00	用于煤质较硬时

3 机器扰力标准值,也可按表 8.2.2-2 近似确定。

表 8.2.2-2 机器近似扰力值(kN)

机器工作转速(r/min)	扰力值 P_{xk}
<500	$0.10W_g$
500~750	$0.15W_g$
>750	$0.20W_g$

注:W_g 为机器转子重力值(kN)。

8.2.3 当电动机采用构架式基础,且只对结构构件承载能力验算时,可采用当量荷载。其值应依据电动机工作转速及其转子的重力值通过表 8.2.3 求得。

表 8.2.3 电机基础当量荷载

机器工作转速 n(r/min)	当量荷载及其作用方位(kN)	
	竖向 N_{zi}	水平向 N_{xi}
<500	$4W_{gi}$	$2W_{gi}$
≥500	$8W_{gi}$	$2W_{gi}$

注:1 W_{gi} 为作用在基础 i 点的机器转子的重力(kN);
2 表中的当量荷载值已计及混凝土材料疲劳影响。

8.2.4 基础设计计算应符合本规范第 3 章的有关规定,并应符合下列规定:

    1 静力计算可仅做持久设计状况下的验算,应符合下列规定:

      1)大块式、墙式基础应做地基承载力验算、基础底面形心与基组质心偏心限值的验算;

      2)构架式基础应做地基承载力验算、基础底面形心与基组质心偏心限值的验算,以及基础构件承载能力极限状态验算;当有变形控制要求时,尚应按正常使用极限状态验算基础构件的变形和裂缝。

    2 动力计算应符合下列规定:

      1)大块式、墙式基础的竖向振动和水平振动计算应符合本规范第A.1节的有关规定;

      2)电动机的构架式基础,可只按本规范第A.2.5条的简化计算公式计算顶板控制点的横向水平振动线位移;

      3)构架式基础尚应计算结构构件的动内力。

    3 毗邻区设置有其他动力机器基础,且明显波及电机基础时,应计及毗邻基础的传播影响。

8.2.5 基础的构造要求除应符合本规范第3章的有关要求外,尚应符合下列规定:

    1 大块式、墙式基础不应设置在对振动沉降敏感的粉砂层上;

    2 对软弱地基应采用人工地基、桩基础等加强措施;

    3 大块式、墙式基础除应按计算配置受力钢筋外,还应符合本规范第3.4.7条~第3.4.9条有关构造配筋的规定;

    4 构架式基础的构造及其配筋要求应符合本规范第8.5节的有关规定。

8.3 汽轮发电机组基础

8.3.1 本节适用于工作转速在1000r/min~3000r/min的汽轮发电机组、离心压缩机、动力式泵、大型电动机等机器的基础设计。

8.3.2 汽轮发电机组宜采用整体混凝土构架式基础,构架式基础应满足空间结构体系对刚度、承载能力以及动力特性的相关要求。

8.3.3 构架式基础的荷载及其组合,除应符合本规范第 3 章和第 8.1 节的有关规定外,汽轮发电机的静力荷载计算尚应补充下列内容:

1 可变荷载中当具有凝汽器装置且凝汽器颈部与汽缸柔性连接时,凝汽器真空吸力应由工艺设计专业配合厂家提供。当难以满足时,可按下式计算:

$$P_k = 100A_t \tag{8.3.3}$$

式中:P_k——凝汽器真空吸力标准值(kN);

A_t——凝汽器与汽缸连接口的截面面积(m^2)。

2 作用在基础顶板上的操作荷载宜取 $4kN/m^2$;安装荷载宜取 $20kN/m^2 \sim 30kN/m^2$,安装荷载应仅对直接承力构件验算。

3 顶板表面机器温差引起的摩擦力,荷载的数值及作用位置应根据工艺设备资料确定。

4 环境温度的作用,当大型构架式基础长度超过现行国家标准《混凝土结构设计规范》GB 50010 中有关钢筋混凝土最大伸缩缝间距的规定,且温差大于 20℃时,宜进行纵向构架的温度应力计算。

8.3.4 汽轮发电机基础结构动力计算,应由工艺设计专业配合设备厂家提供相关的扰力,当确实难以提供时,扰力标准值可按下式计算:

$$P_{vik} = k_p W_{gi} \tag{8.3.4}$$

式中:P_{vik}——第 i 点处的竖向、水平向扰力标准值(kN);

W_{gi}——作用在第 i 点的机器转子重力值(kN);

k_p——扰力系数,按表 8.3.4 选用。

表 8.3.4 扰力系数 k_p 值

机器工作转速(r/min)	竖向、水平横向 k_p	水平纵向 k_p
1500	0.16	0.08
3000	0.20	0.10

注:当机器实际转速为中间值时,用直线插入法求得。

8.3.5 汽轮发电机机组基础的设计计算内容应符合本规范第 3 章的有关规定,并应符合下列规定:

1 静力计算应符合下列规定:

　　1)持久设计状况下,构架式基础应做地基承载力验算、基础底面形心与基组质心偏心限值验算以及构件承载能力极限状态验算;当有变形控制要求时,尚应进行结构构件正常使用极限状态的变形和裂缝验算。

　　2)当基础下设置桩基时,应对桩基做相关验算。

　　3)短暂设计状况下,应做安装检修荷载的承载能力验算;偶然设计状况下,应做短路力矩的承载能力的验算,短路力矩值宜按本规范第 8.3.10 条的规定选用。

2 动力计算,对于构架式基础应计算基础顶面的振动线位移,可只计算扰力作用点处的竖向振动线位移,应符合本规范第 A.2 节的有关规定;

3 位于抗震设防区的构架式基础宜进行地震作用验算,可只计算水平横向、水平纵向地震作用,应符合本规范第 8.3.11 条的规定,并应符合现行国家标准《构筑物抗震设计规范》GB 50191 的有关规定。

8.3.6 构架式基础结构动力计算宜按空间多自由度力学模型进行计算,应符合下列规定:

1 应对机器工作转速±25%范围内进行扫频计算,并应取该范围内的最大值作为计算的振动线位移;

2 对混凝土结构的阻尼比可取 0.0625;

3 混凝土弹性模量可取静弹性模量值;

4 当机器工作转速等于3000r/min时,可不计地基的弹性影响;工作转速小时,地基宜按弹性考虑。

8.3.7 在下列情况下,汽轮机机组构架式基础结构的动力计算可进行简化计算或不做结构的振动计算:

1 当若干横向构架由纵梁连接构成对称构架时,该构架式基础可简化成两自由度平面体系,应按本规范第A.2节的有关规定进行计算;

2 对工作转速为3000r/min的国产汽轮发电机组,采用由横向构架与纵向梁构成的空间构架式基础,当满足表8.3.7的条件时,可不进行结构的振动计算;

表 8.3.7 基础不做振动计算的条件

机组功率(MW)	中间构架及纵梁	边构架梁
≤125	$G_i \geqslant 6G_{gi}$	$G_i \geqslant 10G_{gi}$

注:1 G_i 为集中到梁中或柱顶的质量,含机器及结构质量(t);
　　2 G_{gi} 为机器转子集中到该构架顶部的质量(t)。

3 由横向构架与纵向梁构成的空间构架式基础,可采用当量荷载进行结构构件动内力计算。

8.3.8 构架式基础当量荷载的荷载值及其作用点应符合下列规定:

1 当量荷载的作用点应符合下列规定:
　1)竖向作用在机器轴的支承点上;
　2)水平横向作用在横梁的轴线上;
　3)水平纵向作用在纵梁的轴线上。

2 当量荷载应采用集中荷载表示。

3 按基础的基本振型计算动内力时,当量荷载值应符合下列规定:

　1)竖直方向横向构架上第 i 点的竖向当量荷载,不应小于4倍的转子重力($4W_{gi}$),可按下式计算:

$$N_{zi} = \xi_z W_{gi} \left(\frac{\omega_{n1}}{\omega}\right)^2 \qquad (8.3.8\text{-}1)$$

式中：N_{zi}——第 i 点的竖向当量荷载值（kN）；

ξ_z——系数，对应机器工作转速 n 为 3000r/min 时 $\xi_z=12.80$；n 为 1500r/min 时 $\xi_z=10.24$；当机器的工作转速 n 介于中间时，可采用插入法求得；

ω_{n1}——横向构架竖向的第一振型的固有圆频率（rad/s），由本规范第 A.2 节计算求得；ω 为机器的工作频率（rad/s）；

W_{gi}——作用在横向构架上第 i 点的机器转子重力，指集中到梁中点或柱顶的转子重力值（kN）。

2）水平方向的当量荷载应包括水平横向、水平纵向荷载，其总当量荷载值不应小于转子的总重力（$\sum W_{gi}$），可按下列公式计算：

$$N_x = \xi_x \frac{\sum W_{gi}}{W_t} \sum K_{fxi} \qquad (8.3.8\text{-}2)$$

$$N_y = \xi_y \frac{\sum W_{gi}}{W_t} \sum K_{fyj} \qquad (8.3.8\text{-}3)$$

式中：N_x、N_y——水平横向当量荷载、水平纵向当量荷载（kN）；

ξ_x、ξ_y——系数（m），对应机器工作转速为 3000r/min 时可取 $\xi_x=12.80\times10^{-4}$、$\xi_y=6.4\times10^{-4}$；工作转速为 1500r/min 时 $\xi_x=40\times10^{-4}$、$\xi_y=20\times10^{-4}$；当机器的工作转速 n 介于中间时，可采用插入法求得；

W_t——基础顶板的全部重力值（kN），包括顶板自重、设备重、柱子上半部的重力之和；

K_{fxi}——基础第 i 榀横向框架的水平刚度（kN/m），由本规范第 A.2 节计算求得；

K_{fyj}——基础第 j 榀纵向构架的水平刚度（kN/m），由本规范第 A.2 节计算求得。

3) 用式(8.3.8-2)、式(8.3.8-3)计算出水平向总当量荷载值后,应根据基础各榀构架刚度比值进行分配,分别按下列公式计算:

$$N_{xi} = N_x \frac{K_{fxi}}{\sum K_{fxi}} \quad (8.3.8-4)$$

$$N_{yj} = N_y \frac{K_{fyj}}{\sum K_{fyj}} \quad (8.3.8-5)$$

式中:N_{xi}——第 i 榀横向构架的水平当量荷载值(kN);

N_{yj}——第 j 榀纵向构架的水平当量荷载值(kN)。

4 对不直接承受机器动力作用的结构构件,可取该机器竖向总当量荷载值 N_z 的 1/6 作为竖向或水平横向的当量荷载计算,水平纵向可取该机器竖向总当量荷载值 N_z 的 1/10 作为水平当量荷载计算其动内力。

8.3.9 机器正常运转时,基础顶面控制点计算的总振动线位移应符合下列规定:

1 汽轮发电机组基础的容许振动线位移值应符合表 8.3.9 的规定;

表 8.3.9 汽轮发电机组基础的容许振动线位移值

机器的工作转速(r/min)	控制点的容许线位移值(mm)
1500	0.04
3000	0.02

注:表中的容许振动线位移值应为机器正常运转时的值,机器工作转速介于中间时,可采用插入法求得。

2 计算振动线位移时,宜选取机器工作转速±25%范围内的最大振动线位移作为正常运转时的计算振动线位移值;

3 当机器的实际工作转速小于工作转速 75% 时,其容许振动线位移值可取表 8.3.9 中数值的 1.5 倍,并应满足发电机组设备厂家规定的容许值。

8.3.10 电动机短路骤然作用引起的短路力矩应由工艺设计专业配合设备制造厂家予以提供,当不能提供时,应符合下列规定:

1 当具备下列公式所需的相关参数时,可按下列公式进行计算:

$$M_a = K \cdot S \cdot M_P \quad (8.3.10\text{-}1)$$

$$M_P = 0.974 \frac{Q}{n} \quad (8.3.10\text{-}2)$$

$$S = 1.3 \frac{1}{X_d'' \cos\varphi} \quad (8.3.10\text{-}3)$$

式中:M_a——短路力矩(kN·m);

M_P——电机额定转矩(kN·m);

Q——电机功率(kW);

n——电机工作转速(r/min);

K——骤然作用的动力系数,可取 2;

S——电机额定转矩倍数应由设备厂提供,也可按式(8.3.10-3)计算;

X_d''——电机的超瞬变电抗(无量纲),由工艺专业配合设备厂家提供;

$\cos\varphi$——电机功率因素(无量纲),宜取 0.85。

2 当资料数据难以得到时,短路力矩的数值也可按下式近似计算:

$$M_a = \frac{40KQ}{1000} \quad (8.3.10\text{-}4)$$

8.3.11 构架式基础地震作用的计算应符合下列规定:

1 地震设计状况下,中、高速旋转式机器,结构的地震作用组合效应设计值 S 应按下式计算:

$$S = \gamma_G S_{GE} + \gamma_{Eh} S_{Ehk} + \gamma_m \Psi_m S_{mk} \quad (8.3.11)$$

式中:γ_G——重力荷载分项系数,应采用 1.2;当重力荷载效应对结构承载能力有利时,可取小于或等于 1.0;

S_{GE}——重力荷载代表值效应,重力荷载代表值应按现行国家标准《构筑物抗震设计规范》GB 50191 的有关规定选取；

γ_{Eh}——水平地震作用分项系数，应采用 1.3；

S_{Ehk}——水平地震作用标准值效应，应按现行国家标准《构筑物抗震设计规范》GB 50191 的有关规定选取；

S_{mk}——中、高速旋转式机器动力荷载标准值计算的荷载效应；

γ_m——中、高速旋转式机器动力荷载的分项系数，可取 1.40；

Ψ_m——中、高速旋转式机器动力荷载的组合值系数，对重要能源供应系统中的大、中型汽轮机组可取 0.70。

2 混凝土结构的抗震等级，应分别依据设防烈度为 6 度、7 度、8 度、9 度，依次确定抗震等级为四级、三级、二级、一级。

3 总水平地震荷载，可取水平地震影响系数最大值计算。

4 总水平地震荷载对各榀构架的分配，应按各榀构架的刚度与总刚度之比进行分配。

5 当设防烈度为 7 度，场地土为 Ⅰ、Ⅱ 类，机组功率为 125MW 以下的基础时，可不进行抗震验算。

8.3.12 汽轮发电机组构架式基础的构造要求应符合本规范第 3 章和第 8.5 节的有关规定。

8.4 透平压缩机组基础

8.4.1 本节适用于工作转速大于 3000r/min 的透平式压缩机组，以及相关高速旋转的鼓风机、离心风机等机组基础设计。

8.4.2 基础荷载及其组合应符合本规范第 3.2 节的有关规定，其静力计算尚应符合下列规定：

1 构架顶板上的操作荷载标准值应取 $4.0kN/m^2$，检修荷载标准值宜取大于或等于 $10kN/m^2$；

2 当具有凝汽器时，其真空吸力标准值可按本规范式

(8.3.3)计算。

8.4.3 透平式压缩机组作用在基础上的动力荷载应由工艺设计专业配合设备厂家提供。当难以提供时,其竖向、水平横向及水平纵向扰力的标准值应符合下列规定:

1 竖向、水平横向扰力可按下式计算:

$$P_{zk}=P_{xk}=0.25W_g\left(\frac{n}{3000}\right)^{1.5} \quad (8.4.3\text{-}1)$$

2 水平纵向扰力可按下式计算:

$$P_{yk}=0.5P_{zk} \quad (8.4.3\text{-}2)$$

式中:P_{zk}——机器的竖向扰力标准值(kN);

P_{xk}——机器的水平横向扰力标准值(kN);

P_{yk}——机器的水平纵向扰力标准值(kN);

W_g——机器转子的重力值(kN);

n——机器的工作转速(r/min)。

3 扰力的作用位置,应按机器转子自重分布的实际情况确定。

4 当压缩机与驱动机之间配有变速箱时,机器转子重量(W_g)尚宜计入变速机中相同转速的齿轮重量。

8.4.4 透平式压缩机机组宜采用构架式基础,应符合本规范第8.3.2条的规定。机器基础的设计计算内容应符合本规范第8.3.5条的有关规定。

8.4.5 构架式基础宜按空间多自由度力学模型进行动力计算,并应符合本规范第8.3.6条和第A.2节的有关规定。

8.4.6 当高速压缩机与其驱动电机之间设置变速装置时,应分别计算高转速机器和中、低转速电机在基础顶面控制点的振动线位移,并应按本规范第3.2.8条的规定计算控制点的总振动速度。

8.4.7 透平式压缩机组正常运转,且基础顶面采用计算速度均方根值控制时,其值不应大于3.5mm/s。

8.4.8 当构架式基础计算结构的动内力时,可采用当量荷载替代

机器扰力荷载,当量荷载的选用应符合下列规定:

1 对工作转速大于3000r/min的透平压缩机,当量荷载应按下列公式计算:

$$N_z = 5W_g \frac{n}{3000} \qquad (8.4.8-1)$$

$$N_x = \frac{1}{4} N_z \qquad (8.4.8-2)$$

$$N_y = \frac{1}{8} N_z \qquad (8.4.8-3)$$

式中:N_z——竖向总当量荷载值(kN);

N_x、N_y——水平横向总当量荷载、水平纵向总当量荷载值(kN);

W_g——作用在基础上的机器转子的重力(kN)。

2 水平方向当量荷载值,尚应根据基础各榀构架刚度比值进行分配;当量荷载在基础上的作用区域应与机器质量的分布相一致;作用区域内的主要承重构件,应共同承担当量荷载值;当量荷载的作用点应符合本规范第8.3.8条的相关规定。

3 对不直接承受机器动力作用的结构构件,可取竖向总当量荷载(N_z)的1/6作为竖向、水平横向的当量荷载值;可取竖向总当量荷载(N_z)的1/10作为水平纵向当量荷载值计算动内力。

8.4.9 透平压缩机构架式基础,当设备运行对基础振动的容许值无特殊要求且符合下列各条件时,可不进行结构的振动计算:

1 透平压缩机组的总扰力值不大于20kN,且基础及其构件均满足本规范第8.5节的相关构造要求;

2 透平压缩机基组参振总质量与机器转子质量应符合下列规定:

1) 机组中各机器工作转速相同时应符合下式要求:

$$2.6W_s \geqslant W_g\sqrt{n} \qquad (8.4.9-1)$$

式中:W_s——机组参振部分总质量即机器、管道、配件,以及基础顶板和立柱1/2高度各质量之和(kN);

n——机器的工作转速(r/min);

W_g——机器转子的重力值(kN)。

2)机组中各机器的工作转速不同时应符合下式要求:

$$2.6W_s \geqslant \sum_{i=1}^{m}(W_{gi}\sqrt{n_i}) \qquad (8.4.9\text{-}2)$$

式中:W_{gi}——机组中第 i 个机器的转子重量(kN);

n_i——机组中第 i 个机器的工作转速(r/min);

m——机组中不同运动部件的总数。

8.4.10 透平压缩机构架式基础当符合下列全部条件时,可不进行结构的动内力计算:

1 顶板净跨度不大于 4.0m;

2 作用于每榀构架上的机器重力不大于 150kN;

3 基础的构造满足本规范第 8.5 节的有关规定,且构架柱截面不小于 600mm×600mm,柱中竖向钢筋的总配筋率不小于 1%,框架梁上、下主筋配筋率满足 0.5%～1.0%,且不少于 5 根直径为 25mm 的 HRB400 及以上强度等级钢筋时;

4 构件的混凝土强度等级不低于 C25。

8.4.11 构架式基础动力计算中,对工作转速大于或等于 3000r/min 的压缩机组,可不计地基弹性对振动的影响。当驱动、变速等装置的工作转速小于或等于 1500r/min 时,宜计算地基弹性对振动的影响,并应符合本规范第 3.3 节的有关规定。

8.4.12 透平压缩机组构架式基础地震作用的计算,应符合本规范第 8.3.11 条的有关规定。当建造在设防烈度 7 度、场地土为Ⅰ、Ⅱ类时,可不进行地震作用的验算。

8.5 构造要求

8.5.1 大块式、墙式基础的构造要求应符合本规范第 3.4 节的相关规定。

8.5.2 构架式基础的构造要求除应符合本规范第 3 章的相关规

定外，尚应符合下列规定：

1 构架式基础应独立配置，其四周不宜与其他结构相连，构架顶面操作平台与厂房楼板之间应设置变形缝，缝宽不宜小于50mm。位于地震设防区的结构缝宽尚应符合抗震构造规定。

2 基础宜避免悬挑构件。当采用悬挑结构时，悬臂长度不宜大于1.50m，且悬臂支座处截面高度不应小于挑出长度的75%。

3 中转速汽轮发电机组基础尚应符合下列规定：

　1）基础顶板采用梁式板，主梁宜对称于机器主轴布置，各横梁在设备荷载作用下的静挠度宜接近；

　2）基础顶板的质量和厚度应满足刚度要求，配置宜对称、均衡，避免偏心，荷载传力应简捷合理；

　3）立柱截面应采用方形或矩形，其上、下端均应采用刚接，柱的净高与柱的截面高度之比不宜大于14；

　4）底板宜采用整体刚度大的矩形平板或梁式板，在满足立柱嵌固的前提下，基础底板厚度不应小于其连接立柱长边长度或墙体厚度，且不宜小于立柱间净距的1/5～1/3。

4 高转速透平压缩机组基础尚应符合下列规定：

　1）基础顶板宜采用平板，顶板中的纵、横主梁宜为暗梁，应对称于机器主轴布置，顶板厚度不宜小于其净跨度的1/5，并不宜小于800mm；

　2）立柱的净高与柱截面高度之比宜取10～12，立柱截面应采用矩形或方形，并不宜小于450mm×450mm；

　3）基础底板应采用矩形平板，其厚度不应小于柱截面的高度，也不应小于基础顶板厚度，厚度可取底板长度的1/15～1/10。

5 低转速构架式基础的构造要求可按中转速基础规定执行。

8.5.3 构架式基础构件的配筋除应按计算确定受力钢筋外，尚应符合本规范第3章的有关规定，并应符合下列规定：

1 基础底板的配筋,应沿板顶、板底面设置不小于直径16mm～20mm、间距150mm～200mm的钢筋网,板底及板顶的钢筋最小配筋率不应小于0.15%。上、下两层钢筋网之间宜以直径为16mm～18mm的竖向架立钢筋连接,间距宜为450mm～600mm。

2 基础立柱钢筋应对称配置,直径不宜小于20mm,间距不宜大于200mm。宜设置封闭式或复合箍筋,箍筋直径宜为10mm～12mm,肢距宜为300mm～400mm,箍筋间距宜取250mm～350mm,加密区宜为150mm～200mm。立柱纵向钢筋总配筋率应符合下列规定:

  1)中转速汽轮发电机组构架式基础不宜小于0.55%;
  2)高转速透平压缩机组构架式基础不宜小于0.80%。

3 基础顶板的纵、横主梁的配筋应在梁截面上下对称配置,纵向受力钢筋配筋率宜为0.4%～0.8%,且不宜少于5根直径25mm钢筋。其上层纵向钢筋应伸入立柱的外侧,下弯后应与立柱的外侧纵向钢筋进行搭接,搭接长度应大于或等于钢筋在混凝土内的基本锚固长度值的1.7倍;应沿纵、横梁的两个侧面设置纵向温度钢筋。

4 基础顶板板面的配筋要求应符合下列规定:

  1)中转速汽轮发电机组基础,其最小配筋率不应小于0.2%;
  2)高转速透平压缩机组基础,应在平板的板顶、板底配置钢筋网,钢筋直径宜为16mm～22mm,间距宜为150mm～200mm。

5 当基础顶板、底板为平板式基础时,板的侧面应设置构造钢筋。沿长边方向宜为直径14mm,间距宜为250mm,沿短边方向宜为直径10mm,间距宜为250mm;在底板、顶板上的开孔或缺口处宜设加强钢筋,当其直径或边长大于300mm时,应沿周边配置不少于直径16mm,间距宜为200mm～250mm的加强钢筋。

6 基础各构件的最小配筋率、钢筋锚固、保护层厚度等有关设计构造的要求应符合现行国家标准《混凝土结构设计规范》GB 50010 的有关规定。

7 基础钢筋的连接宜采用机械连接,对直径小于 20mm 的钢筋也可采用绑扎搭接连接。

8 低转速构架式基础各构件的配筋可按中转速基础规定执行。

8.5.4 位于地震区的透平压缩机构架式基础,其配筋应符合下列规定:

1 立柱的箍筋直径宜为 10mm～12mm,间距宜为 200mm～300mm,箍筋在加密区的间距不宜大于 100mm,肢距不宜大于 200mm,加密区体积配箍率不宜小于 0.8%,箍筋加密区的范围应符合下列规定:

 1)立柱上部应大于或等于立柱截面高度且不小于柱净高的 1/6;

 2)立柱下部不应小于柱净高的 1/3;当有刚性地面时,尚应在地面上、下各 500mm 区域内加密。

2 构架顶板主梁的箍筋直径不宜小于 10mm,箍筋加密区的范围宜为梁高的 1.5 倍,箍筋加密区内箍筋间距不宜大于 100mm,肢距不宜大于 200mm。

9 加工类设备基础

9.1 一般规定

9.1.1 本章适用于下列有色金属加工设备基础的设计：

1 热轧、冷轧、精整、铝箔、挤压等生产线的轧制、挤压类和辅助设备基础；

2 铸造机、电磁搅拌、中频感应炉、压渣机、锯床、铸轧机组等生产线的熔铸类设备基础。

9.1.2 加工类设备基础设计时应取得下列资料：

1 车间或生产线的工艺设备布置图，应包括设备名称、各设备之间的尺寸及主要设备中心线与车间控制轴线的尺寸；

2 设备基础条件图，应包括平面图、剖面图，应示出基础详细尺寸和标高，坑、沟、洞的位置和尺寸，设备底座外廓图，以及二次灌浆层的范围和厚度；

3 设备地脚螺栓布置图，应包括螺栓的形式、直径和长度，各部分尺寸和螺帽数量，埋设位置和标高，以及螺栓、螺母和垫圈的标准；

4 预埋件布置图，应包括预埋件的形状、尺寸、埋设位置和标高，承受的荷载（竖向力、水平力和力矩）及作用点和作用方向；

5 设备荷载，应包括设备自重及各种工况时荷载及作用点位置、标高和作用方向；

6 物料荷载、地坪堆载；

7 支承在设备基础上的操作平台自重、操作荷载、检修荷载和其他荷载；

8 与设备基础联合的地下室的布置、尺寸、标高及相关设计资料；

9 与设备基础有相互影响的厂房基础、地下构筑物和地下管线的布置、标高及与设备基础之间的尺寸；

　　10 工艺、设备等专业对设备基础表面受热温度,耐热、隔热防护措施,介质腐蚀及防护,基础沉降及倾斜控制等要求。

9.1.3 混凝土材料除应符合本规范第 3.4 节的有关规定外,尚应符合下列规定：

　　1 混凝土的强度等级应根据基础的结构形式、受力特点、防护要求和环境类别确定。

　　2 对有防水、耐热要求的基础,混凝土的强度等级不宜低于 C25;防水混凝土的抗渗等级不应小于 P6。

　　3 基础表面受温度影响时,混凝土选用应符合下列规定：

　　　1）混凝土表面温度在 60℃以下时宜采用普通混凝土。

　　　2）混凝土表面温度在 60℃～200℃时,可采用普通混凝土;混凝土中的骨料应坚硬致密,粗骨料宜采用玄武岩、闪长岩、花岗岩、石灰岩等破碎的碎石或卵石;细骨料宜采用天然砂,也可采用玄武岩、闪长岩、花岗岩、石灰岩经破碎筛分后的产品;但混凝土强度设计值及弹性模量应按现行国家标准《烟囱设计规范》GB 50051 的有关规定进行折减。

　　　3）混凝土表面温度在 200℃以上时,应采用耐热混凝土,耐热混凝土的耐热度应结合工艺要求确定,但不应低于 350℃。

　　4 防水混凝土的环境温度不应高于 80℃。

　　5 耐酸、耐碱混凝土应根据介质的酸、碱度确定混凝土的耐酸、耐碱要求。

　　6 采用煤油润滑时基础表面应用钢板进行保护,钢板厚度不宜小于 6mm;经常受大量稀润滑油侵蚀的基础表面应采用 1∶1 水泥砂浆抹光,然后涂一层水玻璃防护,也可用耐油砂浆抹平压光。

7 基础垫层混凝土强度等级不应低于C10,防水混凝土结构底板的混凝土垫层强度等级应为C15;垫层厚度宜为100mm,防水混凝土底板下为软弱土层时不应小于150mm。

9.2 基础布置及形式

9.2.1 有色加工设备基础的选型应符合下列规定：
1 基础形式应满足生产工艺和设备配置的要求,并应便于生产操作、设备安装、维护和检修；
2 基础的结构形式应满足刚度要求,并应避免刚度突变；
3 基础可采用大块式、墙式、构架式、筏板式、地坑式、箱式等多种形式。

9.2.2 同一设备机组以及直接影响该设备正常运转的相关设备,宜设在同一整体基础上。

9.2.3 包括各设备机组基础及与其毗邻的地下室等地下结构的同一连续生产线的设备基础,宜采用连续箱体、筏板等形式的联合整体基础。

9.2.4 基础的埋置深度应根据设备类型、地脚螺栓埋深、工艺设备对地下空间的需求、管线沟道的埋深、毗邻地下室地坪标高、相邻基础和地下构筑物的埋深、基础的形式和构造、地基条件、作用在地基上的荷载大小和性质,以及地基土冻胀的影响综合确定。

9.2.5 设备基础与毗邻基础的布置应符合下列规定：
1 当大设备基础周边设有小设备基础时,宜在大设备基础上悬挑小设备基础。当不宜悬挑时,可在小基础下填充砂石垫层。
2 设备基础邻近厂房柱基时,宜将厂房柱基础底标高降至与设备基础底标高相同或深于设备基础底标高处；当设备基础底标高低于柱基时,两基础间的净距应按下式控制：

$$s/h > 1 \qquad (9.2.5)$$

式中：s——柱基础与设备基础之间的净距；
h——柱基础与设备基础基底高差。

3 当不能满足式(9.2.5)要求时,可采取下列措施:
  1)应加厚浅基础的垫层至深基础的底面标高处;
  2)宜采取分段施工、打板桩及其他施工期间的安全措施,并应计及浅基础荷载对深基础的影响。

4 当设备基础与厂房基础相碰且必须脱开时,可采用两基础上下错开、设备基础局部悬挑方案,设备基础与厂房柱基的水平缝不宜小于30mm,竖向缝应满足两基础间沉降差异的要求。

5 当柱基础需要穿过有防水要求的箱体设备基础或地下室时,可沿柱基短柱周圈设置围套,围套与厂房柱基短柱的间隙不宜小于50mm(图9.2.5)。

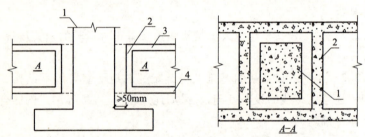

图 9.2.5　地下室套柱做法
1—厂房柱基础;2—围套;3—地下室或箱体设备基础顶板;
4—地下室或箱体设备基础底板

9.2.6 设备基础伸缩缝、沉降缝的设置应符合下列规定:
  1 不应影响机组的正常运转和生产线的正常生产。
  2 对机器传动轴为直接传动或刚性连接的设备基础不得设置伸缩缝,应采用整体基础;当传动轴为柔性连接含万向接头,可设置伸缩缝;筏基、箱体基础不宜设置伸缩缝。
  3 当两个相接的基础重量及设备重量差异较大,或基础埋置深度及底面积突变处,应设置沉降缝。

9.2.7 热轧设备类型及基础布置选型应符合下列规定:
  1 热轧生产线设备应包括粗轧机组(含传动装置、换辊装置)、精轧机组(含传动装置、换辊装置、卷取机组、中间辊道等);

2 热连轧主轧线所有设备机组及与设备基础毗邻的地下室,宜采用大块式、墙式或连续箱体基础,箱体基础纵横方向应满足刚度要求。

9.2.8 冷轧设备类型及基础布置选型应符合下列规定:

1 冷轧生产线设备应包括轧机及其传动设备、换辊装置、开卷机、卷取机等;

2 冷轧机设备基础结构形式宜采用大块式、墙式与箱体结合的联合基础。

9.2.9 精整设备类型及基础布置选型应符合下列规定:

1 精整生产线应包括横切机组、纵切机组、切边机组、拉弯矫等设备;

2 横切机组、纵切机组、切边机组设备基础,宜采用地坑式与筏板式相结合的形式,拉弯矫设备基础宜采用大块式。

9.2.10 挤压设备类型及基础布置选型应符合下列规定:

1 挤压机组应包括挤压机铸锭加热炉、挤压机主机、挤压机辅机、挤压机模具加热炉等设备;

2 挤压机组基础宜采用地坑式与大块式相结合的形式。

9.2.11 熔铸类设备类型及基础布置选型应符合下列规定:

1 熔铸类设备应包括铸造机、电磁搅拌、中频感应炉、压渣机、锯床、铸轧机等;

2 熔铸类基础宜采用大块式、地坑式与筏板式相结合的形式。

9.3 荷载及其组合

9.3.1 加工类设备基础的荷载应符合下列规定:

1 永久荷载应包括下列内容:

1)设备基础及支承在基础上的建筑物、构筑物自重;

2)设备及其附属件自重;

3)支承在设备基础上的管道自重;

4）生产期间其变化可以忽略的物料重及管道内的介质重；

5）设备基础上的填土和地坪自重；

6）土压力；

7）水位不变的水压力。

2 可变荷载应包括下列内容：

1）生产期间其变化不可不计的设备上的物料重；

2）生产期间各种工况时设备运转产生的荷载；

3）平台活荷载应根据不同阶段分为操作荷载和安装检修荷载；

4）地面荷载，应是由堆放在地坪上的材料、设备等引起的荷载；

5）支承在设备基础上的建（构）筑物传来的荷载。

3 偶然荷载应包括意外事故引发的爆炸、撞击、火灾等巨大且短暂的荷载。

4 地震作用应符合现行国家标准《构筑物抗震设计规范》GB 50191有关地震作用和结构抗震验算的规定。

9.3.2 加工类设备基础结构构件设计，其各种工况荷载的分项系数和组合系数应符合现行国家标准《建筑结构荷载规范》GB 50009的有关规定。

9.4 地基和基础的计算规定

9.4.1 除设备有专门要求者外，加工类设备基础可不做动力计算。

9.4.2 加工类设备基础的地基沉降允许值应按下列规定采用：

1 当工艺设备专业无特殊要求时，基础最终沉降量允许值应符合下列规定：

1）箔轧类轧机不应大于50mm；

2）板材类轧机不应大于80mm；

3）挤压类及铸轧类设备不应大于90mm；

4）熔铸类及其他类加工设备不应大于100mm；

　　5）基础倾斜率应满足工艺、设备要求；当无要求时,倾斜率可按 0.001 控制；当确有经验或设备标高可调范围较大时,限值可放宽。

2 设备基础与邻近厂房柱基础、平台柱基础间的沉降差应符合现行国家标准《建筑地基基础设计规范》GB 50007 对框架结构相邻柱基规定的允许值。

3 基底合力作用点与基础底面形心的距离不应超过所在基础边长的 1/6。

9.4.3 对基础沉降要求严于 50mm 的设备,当条件许可时,可在设备安装前对基础进行预压。

9.5 构造要求

9.5.1 加工类设备基础的构造除应符合本规范第 3.4 节的有关规定外,尚应符合下列规定：

1 当螺栓预留孔边至基础边缘的距离小于 100mm,且大于 30mm 时,应在孔深高度范围内设置钢筋网片加固,钢筋直径宜为 8mm,纵横方向的间距宜为 50mm；当螺栓预留孔边至基础边缘的距离小于或等于 30mm 时,应采用 6mm 的钢板加固,钢板顶面及外部应与基础齐平,其他每边应超过洞口边 50mm,钢板锚筋直径宜大于或等于 6mm,间距宜为 100mm。

2 当轧制生产线要求标高准确、各基础不允许有差异沉降时,应增加地脚螺栓的螺纹长度,一般土质地基应加长 10mm～30mm；对软土地基,除应增加螺纹长度外,尚应按地基下沉量提高基础顶面标高,提高值可通过计算或实践经验确定。

3 基础内部斜梯宽度宜为 600mm～800mm,钢筋直爬梯宽度不应小于 400mm,直梯的开洞宜为 800mm×800mm。

4 轧机下部的沟底至基础底的距离,大型轧机时不应小于 600mm,中小型轧机时宜为 400mm～300mm；油管沟、风道、电缆沟底至基础底面距离不宜小于250mm。

9.5.2 熔铸类设备基础涉及的地下烟道应符合现行国家标准《烟囱设计规范》GB 50051的有关规定,地下烟道的结构形式宜按下列规定采用:

1 地下烟道宜设内衬和隔热层,砖内衬的顶部应做成拱形,并应与烟道侧壁留有10mm的空隙。

2 封闭式现浇钢筋混凝土烟道,拱形砖内衬的拱顶至烟道顶板底表面应留有不小于150mm的空隙。

3 烟道与炉子基础及烟囱基础连接处应设置沉降缝。

4 长度大于20m的烟道应设置伸缩缝,缝宽宜为20mm～30mm,缝中应填塞石棉绳等可压缩的耐高温材料;当有防水要求时,应按防水伸缩缝采用橡胶止水带、钢板止水带等办法处理。

5 当烟道位于地下水位以下时,烟道应采取防水和隔热措施,混凝土烟道内表面温度不应超过80℃。

6 地下烟道防水混凝土最小厚度宜符合表9.5.2的规定。

表9.5.2 地下烟道防水混凝土最小厚度(mm)

构件及配筋形式		防水混凝土最小厚度
侧墙	单筋	250
侧墙	双筋	300
顶板	—	250

9.5.3 基础上梁、板、墙等构件的几何尺寸除应满足强度和刚度的要求外,尚应满足预埋件、螺栓锚固尺寸的要求。

9.5.4 需要做结构计算的基础,其配筋应根据荷载计算确定,应符合现行国家标准《混凝土结构设计规范》GB 50010的有关规定;不需要做结构计算的大块式基础,应按表9.5.4的要求配置构造钢筋。

表9.5.4 大块式基础构造配筋

基础名称	基础顶面钢筋网钢筋直径(mm)	基础底面钢筋网钢筋直径(mm)
超大型轧机基础(铝材2800板轧机及以上)	22～25	20～22

续表 9.5.4

基础名称	基础顶面钢筋网 钢筋直径(mm)	基础底面钢筋网 钢筋直径(mm)
大型轧机基础（铝材 1830～2400 板轧机、铜材 1200 板轧机及以上）	20～22	18～20
中型轧机基础（铝材 1000～1600 板轧机、铜材 600～1000 板轧机）	16～18	12～14
小型轧机基础（铝材 1000 以下板轧机、铜材 600 以下板轧机）	12～14	—

注：1 本表适用于一般土质地基上的基础，对于岩石地基上的基础，除应设置隔离层外，尚应将钢筋直径提高一级；
2 配筋直径上、下限可根据铜、铝材板轧机的上、下限选取；
3 表中钢筋间距均应为 200mm。

9.5.5 加工类设备基础的温度伸缩缝的最大间距可按表 9.5.5 采用。

表 9.5.5 加工类设备基础的温度伸缩缝的最大间距(m)

基础型式	室内或土中	露天
构架式基础	55	35
墙式基础	45	30
大块式基础	30	20

9.5.6 加工类设备基础的二次灌浆、找平、抹面层的材料及做法应符合下列规定：

1 二次灌浆层厚度小于或等于 30mm 时，可用Ⅰ类灌浆料或 1：2 水泥砂浆；

2 二次灌浆层厚度大于 30mm 时，应采用无收缩灌浆料、细石混凝土或补偿收缩细石混凝土，细石混凝土的强度等级应高于基础混凝土强度等级一个级别，且不应低于 C25；

3 二次灌浆层厚度为 80mm～130mm 时，应在二次灌浆层内设距顶面 30mm 的钢筋网片，网片钢筋直径宜为 8mm，间距宜为 200mm；

4 二次灌浆层厚度大于 130mm 时,应在一次浇灌混凝土面层设插筋,插筋直径宜为 12mm,纵横方向的间距宜为 200mm,下部应锚入一次浇灌混凝土内 150mm,上部距二次浇灌层顶面宜为 20mm,同时在二次灌浆层内应设距顶面 30mm 的钢筋网片,网片钢筋直径宜为 8mm,间距宜为 200mm。

9.6 沉降观测

9.6.1 设备基础应根据与其连接的建筑物、构筑物地基变形特征、结构类型、平面和竖向布置、荷载特征和分布、地质情况等因素,确定设置沉降观测点。

9.6.2 设备基础沉降观测点的布置间隔不宜大于 18m,应符合下列规定：

   1 宜在设备基础四角并沿周边布点；

   2 辊道、运输链、冲渣沟及类似基础和构筑物,应沿纵轴线布点；

   3 高架平台应在四角框架柱处布点,宜在周边纵、横主轴线上对称布点；

   4 地下室应于四角布点,对于地下室面积较大者除四角外,尚应沿周边和内部纵、横墙、柱轴线增设观测点；

   5 沉降观测点宜布置在基础顶面或墙、柱、墩上,观测点的布设位置应便于观测,且标志不应妨碍交通。

10 储罐设备基础

10.1 一般规定

10.1.1 本章适用于中性液态介质的常压钢质储罐设备基础，不适用于低温、高压、剧毒等液态储罐基础。对储存腐蚀性液态介质，采用相应防护措施后可参照执行。

10.1.2 储罐基础的设计应由工艺及相关专业提供下列各项资料：

 1 储罐结构基本特性，含型式、直径、高度、罐壁、顶部及底部的基本构造，以及各部分重量；

 2 储罐内液体介质（储液）的名称，主要物理、化学性能指标，重力密度，最大液面高度及其变化范围和相关参数；

 3 储罐内储液排空的方式和几率，正常使用及检修、维护时渗漏的可能与防护要求；

 4 对于具有搅拌、布料功能的储罐，应提供电机及搅拌机械的型号、转速、功率，机器自重及重心位置等；

 5 储罐区域平面配置图。

10.1.3 储罐基础宜采用钢筋混凝土结构，其型式应依据工艺配置要求和场地工程地质条件确定；可分为筏板式基础、筒（柱）承式基础以及柔性基础。当软弱地基无法满足承载力和变形要求时，应采用地基补强技术措施。

10.1.4 储罐基础设计应配合工艺、总图等专业采取构造和防护措施避免储液的渗漏、流淌；对储罐的检修、维护期，尚宜提供储液临时接纳或排放的出路。

10.1.5 结构设计应验算地基承载能力，当对地基变形有控制要求时，应验算地基变形。结构及构件应做持久设计状况、短暂设计状况下极限承载能力的验算,并应符合本规范第 3.2 节的规定;储罐基础可不进行动力计算。

10.1.6 作用于储罐基础的荷载计算,应符合下列规定:

1 永久荷载应包括基础自重、罐体自重、储罐保温、隔热材料的重量,以及附属在罐体上的梯、平台等荷载;

2 可变荷载应包括储液重量、风荷载、雪荷载、温度作用和施工安装荷载,以及储罐水压试验荷载、其他荷载等;

3 具有搅拌功能的储罐应依据工艺专业的资料和工程经验计算储液的竖向及水平向荷载的增加值,可按正常液面时的储液重力提高 1.05 倍～1.10 倍;

4 地震作用应符合现行国家标准《构筑物抗震设计规范》GB 50191 的有关规定。

10.1.7 储罐基础设计时,荷载组合应符合下列规定:

1 验算地基承载力、桩承载力时,作用在基底或承台底面的荷载应按正常使用极限状况下效应的标准组合;相应的抗力应采用地基的承载力特征值或单桩的承载力特征值,并应符合现行国家标准《建筑地基基础设计规范》GB 50007 的有关规定。

2 当需要验算地基变形时,作用在基础底面的荷载应按正常使用极限状况下效应的准永久组合,不计风荷载及地震作用;相应的限值应满足生产工艺的要求。当生产工艺无特殊要求时,基础的平均沉降量不宜大于 200mm;基础直径方向沉降差的许可值应符合下列规定:

  1) 固定顶罐不宜大于基础直径的 1/90;
  2) 浮顶罐不宜大于基础直径的 1/200;
  3) 储罐直径大于 40m 时,尚应符合现行国家标准《钢制储罐地基基础设计规范》GB 50473 的有关规定。

3 需要做地基稳定验算时,应符合现行国家标准《建筑地基基础设计规范》GB 50007 的有关规定。

4 计算基础及构件的强度时,应按承载能力极限状况下的基本组合；当需要验算基础构件的变形和裂缝宽度时，宜按荷载准永久组合并计及长期作用影响的效应计算，并应符合现行国家标准《混凝土结构设计规范》GB 50010 的有关规定。

10.1.8 荷载的有关系数确定应符合下列规定：

    1 基本组合永久荷载的分项系数均应取 1.2；

    2 基本组合可变荷载的分项系数的选取应符合下列规定：

      1）储罐中的储液应取 1.3；

      2）水压试验时的水重可取 1.1；

      3）风荷载应取 1.4。

    3 准永久组合中，储液的准永久值系数应取 1.0。

10.1.9 当储罐不设置地脚螺栓固定，且为非桩基基础时，储罐基础可不进行地震作用的验算。当需要对储罐基础做地震验算时，应符合现行国家标准《构筑物抗震设计规范》GB 50191 的有关规定。

10.2 筏板式基础

10.2.1 储罐的筏板式基础宜采用钢筋混凝土圆形平板。

10.2.2 储罐筏板式基础的设计应符合下列规定：

    1 地基及基础结构的验算，有关荷载及其组合应符合本规范第 10.1.6 条～第 10.1.8 条的规定；

    2 筏板式基础结构的分析计算应根据工程实际和地基类型等综合因素，按下列规定确定：

      1）筏板结构宜按弹性地基板的计算方法进行内力分析；

      2）当地基土层较为均匀，地基压缩层范围内无软弱土层，且筏基的厚跨比不小于 1/6 时，筏板可按基底反力直线分布计算；

      3）当地基土层较为均匀，地基压缩层范围内无软弱土层，且采用平底储罐，并符合现行国家标准《立式圆筒形钢制焊接油罐设计规范》GB 50341 规定的罐底构造时，筏板可不进行内力计算。

10.2.3 筏板式基础的承载能力极限状况设计应符合下列规定：

　　1 应验算筏板冲切承载能力；

　　2 应验算筏板正截面的受弯承载能力、受剪承载能力，以及局部承压承载能力。

10.2.4 筏板式基础构造应符合下列规定：

　　1 基础顶面标高应高出地面不小于250mm。

　　2 基础埋置深度除应满足相邻设施（含地下管道）的施工、检修要求以及冻结深度的规定外，不宜小于800mm。

　　3 基础底板厚度宜通过承载能力验算确定，可取底板直径的1/20～1/15，基础底板最小厚度不宜小于300mm。

　　4 基础混凝土强度等级不应低于C25；宜在上、下板面配置双层钢筋，受力钢筋直径不应小于12mm，间距宜为150mm～250mm，受力钢筋最小配筋率不应低于0.15%；当基础厚度大于2000mm时，宜在基础中部增加一层钢筋网，钢筋直径不宜小于12mm，间距不宜大于300mm。

　　5 当储罐直径小于4m且地基良好时，可采用素混凝土结构，混凝土强度等级不宜低于C25，基础顶面宜设置直径12mm且间距250mm的构造钢筋。

10.2.5 对于直径大于或等于20m的筏板式基础，宜采取设置后浇带、分段浇筑以及其他避免裂缝产生的措施。

10.2.6 筏板式基础顶部设置有墙体、支柱时，应符合本规范第10.3节的有关规定。

10.3 筒（柱）承式基础

10.3.1 本节适用于筒（柱）承式架空储液槽、罐的基础设计。

10.3.2 基础选型与配置要求应符合下列规定：

　　1 应依据工艺配置要求、受力特点和场地条件等因素，选用筒承式或柱承式基础；

2 基础底板宜采用平板,当持力层均为砂卵石层或均为微风化岩石时,柱承式可采用独立基础,也可采用锚杆基础;

3 基础埋置深度除应满足地基承载能力、变形、稳定性和冻结深度的要求外,天然地基的埋置深度,不宜小于基础高度与储罐高度之和的1/15;桩基承台的埋置深度不宜小于基础高度与储罐体总高度的1/18;同时基础埋置深度均不宜小于1000mm;岩石地基、锚杆基础可不受限制。

10.3.3 筒承式基础的混凝土支承筒或支承墙体可采用环向布置即筒状结构、径向墙体布置即放射状加环梁结构,也可采用混合的配置形式。

10.3.4 筒(柱)承式基础的设计计算应符合下列规定:

1 基础的各类荷载、荷载组合和相关系数应符合本规范第10.1.6条～第10.1.8条的有关规定,当储液在生产过程出现变动时,应提供其不同工况与相应参数;

2 筒(柱)承式基础,基底边缘处的最大压力应小于地基的承载力特征值,基底边缘处最小压力宜大于零;

3 基础结构及构件含底板、筒、墙、柱、环梁、平台等,应进行承载能力极限状况的验算,当对变形控制有要求时,应进行正常使用极限状况的验算,应符合现行国家标准《混凝土结构设计规范》GB 50010的有关规定;

4 设置在抗震设防区的筒(柱)承式基础,其抗震验算应符合现行国家标准《构筑物抗震设计规范》GB 50191的有关规定,并可按国家现行标准《钢筋混凝土筒仓设计规范》GB 50077和《石油化工构筑物抗震设计规范》SH/T 3147的有关规定执行。

10.3.5 柱承式基础的配置应符合下列规定:

1 支承柱的布置应均匀、对称,总数不应少于3根。

2 有抗震设防要求时,宜在支柱间设置支撑或抗剪墙。

3 储罐支承点宜放置在支承柱顶部,并宜通过环梁连成一体。当储罐支承点不在支柱上时,应做好环梁的固定以及环梁的受弯、受扭验算。

　　4 在支承柱的顶部、环梁及板面宜增设钢筋网片。

10.3.6 筒（柱）承式基础混凝土强度等级不应低于C25,构造应符合下列规定：

　　1 基础的底板厚度宜通过计算确定，且不应小于墙厚或支柱边长。配筋应符合计算要求，受力钢筋的最小配筋率不应低于0.15%,宜上、下双层配置，构造配筋直径不应小于14mm,间距宜为200mm～300mm。

　　2 基础的支承筒或墙应符合下列规定：
　　　　1）墙体厚度不宜小于250mm；
　　　　2）墙体配筋应按计算确定，应采用双层钢筋网；构造配筋时，竖向钢筋直径宜为12mm～14mm,间距宜为200mm；水平钢筋直径宜为10mm～12mm,间距宜为200mm。

　　3 基础的支承柱、环梁构造应符合下列规定：
　　　　1）支柱断面尺寸不宜小于300mm×300mm,环梁断面尺寸不宜小于300mm×400mm；
　　　　2）对生产过程中储液有放空情况的大型储罐，支承柱的纵向总配筋率不宜大于2%。

10.3.7 位于地震设防区的筒（柱）承式设备基础，抗震设计应符合现行国家标准《构筑物抗震设计规范》GB 50191 的有关规定，构造措施尚应符合下列规定：

　　1 支承柱纵向钢筋的最小总配筋率应符合下列规定：
　　　　1）6、7 度时不应小于0.8%；
　　　　2）8 度时不应小于0.9%；
　　　　3）9 度时不应小于1.1%。

　　2 支承柱纵向钢筋的总配筋率不应大于2%。

　　3 支承柱的箍筋宜沿全柱高加密，加密箍筋间距应为100mm；6 度时，钢箍直径不应小于6mm；7 度时，钢箍直径不应小于 8mm；8、9 度时，钢箍直径不应小于 10mm；箍筋最小体积配箍率，6 度时应为 0.60%，7 度时应为 1.0%，8 度时应为 1.20%，9 度时应为 1.40%。

10.4 柔性基础

10.4.1 柔性基础可选用环墙式或护坡式。

10.4.2 依据场地布局及其工程地质条件，基础选型确定应符合下列规定：

  1 对于采用预压排水固结法加固的软土地基，以及位于陡坎、斜坡、邻近土方大开挖等地段，应预先做好地基抗滑、稳定性的技术处理；

  2 当场地天然地基承载力特征值大于或等于基底平均压力、地基的变形符合本规范第 10.1.7 条要求，且场地较为开阔时，宜采用护坡式基础，也可采用环墙式基础；

  3 当场地天然地基难以达到本条第 2 款要求时，经地基处理后，宜采用环墙式基础。

10.4.3 柔性基础的设计应符合现行国家标准《钢制储罐地基基础设计规范》GB 50473 的有关规定。

10.4.4 柔性基础的构造应符合下列规定：

  1 在储罐底部应设置钢筋混凝土环状墙体，在环状墙内为原状土或压实填料，宜在上部设砂垫层、沥青砂绝缘层支承储罐，应构成环墙式基础（图 10.4.4-1）；

  2 在天然地基上应设置原状土、砂垫层、沥青砂绝缘层，在基础周边应设置级配碎石形成护坡，并应做好排水，应形成护坡式基础（图 10.4.4-2）。

10.4.5 基础的荷载及其组合应符合本规范第 10.1.6 条～第 10.1.8 条的有关规定。当储罐不设置地脚螺栓固定时，柔性基础设计可不计风荷载作用和地震作用。

10.4.6 环墙式基础单位高度环向拉力的设计值、环墙截面确定

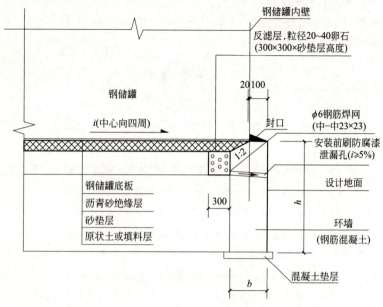

图 10.4.4-1 环墙式基础

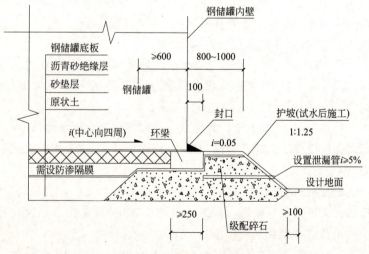

图 10.4.4-2 护坡式基础

以及环墙的承载能力计算应符合下列规定：

1 环墙在持久设计状况，单位高度环向拉力的设计值应按下列公式计算：

$$F_t = (\gamma_{QL}\gamma_L h_L + \frac{1}{2}\gamma_{Qm}\gamma_m h)KR \qquad (10.4.6-1)$$

式中：F_t——环墙单位高度环向拉力的设计值(kN/m)；

　　　γ_{QL}——储存液态介质自重的分项系数，可取 1.3；

　　　γ_L——储存液态介质的重力密度(kN/m³)；

　　　γ_m——环墙内各垫层、填料层的平均重力密度(kN/m³)；

　　　γ_{Qm}——环墙内各层土自重的分项系数，可取 1.2；

　　　h_L——环墙顶面至储罐内最高液面高度(m)；

　　　h——环墙的垂直高度(m)；

　　　K——土体的侧压力系数，一般地基可取 0.33，软土地基可取 0.5；

　　　R——环墙的半径，以其截面宽度 b 的中心线计算(m)。

2 当钢储罐壁坐落在环墙顶面时，环墙的厚度可按下式确定：

$$b = \frac{g_k}{(1-\beta)\gamma_L h_L - (\gamma_c - \gamma_m)h} \qquad (10.4.6-2)$$

式中：b——环墙的计算厚度(m)；

　　　g_k——罐壁底部传至环墙上的线荷载标准值，包括罐壁和其保温、防护层重量，以及固定顶罐的罐顶及其保温、防护层，分担至罐壁上的重力总和(kN/m)；

　　　β——罐壁深入环墙顶面的宽度系数，取 0.4～0.6；

　　　γ_c——环墙的重力密度(kN/m³)。

3 环墙在持久设计状况下，单位高度环向受力钢筋的截面面积应按下式计算：

$$A_s = \frac{\gamma_0 F_t}{f_y} \qquad (10.4.6\text{-}3)$$

式中：A_s——环墙单位高度环向受力钢筋的截面面积（mm^2）；

γ_0——结构重要性系数，取 1.0；

f_y——钢筋抗拉强度设计值（kN/mm^2）。

4 环墙在通水试压阶段，尚应采用储罐内的最高水位的重力密度值，计算短暂设计状况下环墙单位高度环向力，当短暂设计状况下环向拉力大于持久设计状况下环向拉力时，应按短暂设计状态下的环向拉力计算环墙的配筋，短暂设计状况下的环向拉力应按下列公式计算：

$$F_t = (\gamma_{Qw}\gamma_w h_w + \frac{1}{2}\gamma_{Qm}\gamma_m h)KR \qquad (10.4.6\text{-}4)$$

式中：γ_w——试压水的重力密度（kN/m^3）；

γ_{Qw}——水自重的分项系数，取 1.1；

h_w——储罐内试压水最大液面高度（m）。

10.4.7 当储罐对地基沉降变形有特殊要求或规定时，应进行地基沉降变形的验算，并应符合现行国家标准《建筑地基基础设计规范》GB 50007 的有关规定。

10.4.8 当储罐基础为非桩基且不设置地脚螺栓固定时，可不进行地震作用的验算。当设置地脚螺栓时，地震的验算应符合现行国家标准《构筑物抗震设计规范》GB 50191 的有关规定。

10.4.9 柔性基础的构造要求应符合下列规定：

1 基础的顶面宜高出周围地面 350mm 及以上。

2 基础顶面应设置沥青砂绝缘层，厚度宜为 60mm～80mm，摊铺施工作业时应反复碾压，压实系数不应小于 0.95；应形成准圆锥形的上表面，自中心向周围的坡度 i 宜为 0.15%～0.35%。

3 沥青砂下应设置中粗砂垫层，厚度不宜小于 300mm，应分层碾压，压实系数不应小于 0.96。

4 基础环墙应沿储罐周边均匀设置积水泄漏孔,泄漏孔间距宜为10m～15m,孔径宜为50mm;应内接基础侧边的卵石反滤层,外排至基础外侧地面上,泄漏孔坡度应大于或等于5%。

5 混凝土环墙应经计算确定,环墙厚度不宜小于250mm;环墙顶面应在与储罐外壁接触点向中心30mm处设坡角,坡度宜为1∶2。储罐外壁至环墙外边缘尺寸不宜小于100mm(图10.4.9)。

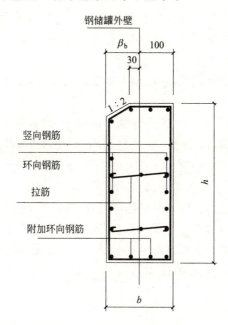

图10.4.9 环墙定位及配筋示意

6 环墙中的环向受力钢筋,截面最小总配筋率不应小于0.4%,钢筋直径宜为16mm～20mm,间距宜为150mm～200mm;环墙中的竖向受力钢筋,截面每侧最小配筋率不应小于0.15%,直径宜为12mm～16mm,间距宜为150mm～200mm,竖向钢筋宜采用封闭式,环向受力钢筋应采用机械连接或焊接。

7 当环墙的弧长大于40m时,环墙应设置混凝土后浇带。后浇带宽度宜取900mm～1000mm,该段环向钢筋应全部贯通,预留不少于28d后,应以高于原设计一个强度等级的微膨胀混凝土浇筑。

10.4.10 基础选用的相关材料应符合下列规定:

1 沥青砂绝缘层应采用质地良好的中砂配置,含泥量不得大于5%;沥青宜采用60号甲、乙道路石油沥青,当储罐内介质温度大于或等于80℃时,宜采用30号甲、乙道路石油沥青。

2 砂垫层宜采用级配良好的中、粗砂,也可采用粒径不大于20mm的圆砾、角砾、砾砂级配。但不得采用粉砂,不得含有机杂质,含泥量不得大于5%。

3 回填土宜采用黏性土,不得采用淤泥、膨胀土、有机质含量大于5%的土料。

4 环墙混凝土的强度等级不应低于C25,受力钢筋宜采用HRB400、HRB500钢筋,分布钢筋可采用HPB300、HRB335钢筋,钢筋的保护层不应小于40mm。

10.4.11 基础及地基的沉降观测应符合下列规定:

1 需要进行沉降观测的储罐基础,沉降观测点宜沿基础周边均匀布置,其数量不宜少于4点/储罐,间距不宜大于15m;

2 当采用充水预压的地基监测时,可按现行行业标准《石油化工钢储罐地基充水预压监测规程》SH/T 3123的有关规定执行。

11 施工、安装、测试与防护

11.1 岩土与基础施工

Ⅰ 岩土工程勘察

11.1.1 设备基础在工程设计时,应取得所在场地岩土工程勘察资料。设置有破碎、压缩、轧制、挤压以及储罐等类大型设备基础,当场地具有不良地质作用时,应做岩土工程勘察,并应提出地基处理的措施与建议。

11.1.2 建设场地岩土工程勘察应符合现行国家标准《岩土工程勘察规范》GB 50021 的有关规定,并应符合下列规定:

1 勘察孔的深度应达到岩土层及以下,宜与相邻建筑物一致。对于圆形的储罐基础,勘察孔的深度取值,当直径小于或等于 22m 时,宜取直径的 1.0 倍～1.5 倍;当直径大于 22m 时,宜取直径的 0.8 倍～1.2 倍。

2 勘察孔的布局和数量确定应以能提供工程地质参数为原则。对于储罐基础,勘察孔宜沿周边及中心布置,每个储罐基础不宜少于 3 个。

11.1.3 岩土工程勘察报告应符合现行国家标准《岩土工程勘察规范》GB 50021 的有关规定。用于大型、特殊或引进境外的动力机器设备,其设备基础的岩土工程勘察尚应依据工程设计要求,补充变形模量(E_0)、动剪切模量(G)等参数的测试。

Ⅱ 基础施工及验收

11.1.4 用于大体积混凝土基础的施工,应预先做好施工组织设计;施工时应采取浇筑及温度控制措施,应符合现行国家标准《大体积混凝土施工规范》GB 50496 的有关规定。

11.1.5 基础混凝土宜采用普通硅酸盐水泥配制;当为大体积混

凝土时，应选用中、低热值硅酸盐水泥或低热值矿渣硅酸盐水泥，水胶比不宜大于 0.55；当有抗渗要求时，所用水泥的铝酸三钙含量不宜大于 8%。

11.1.6 基础的施工缝应按设计要求和施工合理性确定，并应符合下列规定：

  1 构架式基础底板混凝土宜连续浇筑，当厚度较大确有困难时，可采用分层浇筑；

  2 构架式基础可设置 1 道～2 道施工缝，宜位于立柱的底部和顶部；

  3 施工缝应进行处理，并应检查清理插筋、凿毛、清洗结合面，同时应涂刷水泥结合剂后再浇筑新的混凝土；

  4 所有的施工缝工序均应执行施工组织设计预控的技术处理程序。

11.1.7 对于底板设置在基岩或密实性地基土的大块式基础，宜在底板下预先设置隔离层。

11.1.8 基础使用的钢筋应符合设计图纸要求，当需进行钢筋代用时，除应符合承载能力、裂缝验算的规定外，尚应满足钢筋间距、保护层厚度、最小配筋率以及钢筋锚固长度等的要求。钢筋的接头宜采用机械连接，在非直接承受动力作用的部位，也可采用焊接。

11.1.9 地脚螺栓材质及埋置方式应符合设计要求，当无特殊要求时，地脚螺栓材质宜采用 Q235B 级钢，不应冷加工。螺栓埋置深度不应小于螺栓直径的 20 倍。

11.1.10 基础的地脚螺栓锚固及二次灌浆层应采用具有早强、流动性好、免振捣且适度微膨胀的灌浆材料。

11.1.11 设备基础应满足设计使用的各项技术要求，施工质量应符合现行国家标准《混凝土结构工程施工质量验收规范》GB 50204 的有关规定。

11.1.12 在设备正式安装前，应对设备基础的定位、标高等进行复检,工序交接等应符合现行国家标准《机械设备安装工程施工及验收通用规范》GB 50231 的有关规定。

11.2 机器的安装

Ⅰ 技术要求

11.2.1 机器设备安装工程,应包括设备开箱点交、设备资料接收,以及机器安装就位、空负荷试运转(含单体及联动)、设备验收交接等全过程。对必须带负荷才能检验试运转的机器设备,安装工作尚应参与机器负荷试运转工序。

11.2.2 机器设备安装所使用的零件、配件、各类辅助材料应符合工程设计和产品相关标准的规定,且应具有产品的合格证。

11.2.3 安装施工中,主要安装工序的操作均应作质量检验并具有完整的质量检验记录。对于隐蔽工程,在安装前应进行检验,并应在合格签认后再进入下道工序。

11.2.4 凡与设计计算、构造有关的安装环节,应按照工程图纸文件中的技术要求施工。

11.2.5 机器设备安装的就位、调平、灌浆、装配、紧固、密封等工序操作,配套管道、附件等的安装,以及机器设备试运转和工程验收应符合现行国家标准《机械设备安装工程施工及验收通用规范》GB 50231 的有关规定。

11.2.6 破碎、磨机类设备机组安装的操作工序、质量标准,以及设备试运转和工程验收应符合现行国家标准《破碎、粉磨设备安装工程施工及验收规范》GB 50276 的有关规定。

11.2.7 压缩机、风机、泵等设备机组安装的操作工序、质量标准,以及设备试运转和工程验收应符合现行国家标准《风机、压缩机、泵安装工程施工及验收规范》GB 50275 的有关规定。

11.2.8 汽轮发电机组安装的操作工序、质量标准、设备试运转和工程验收应符合现行行业标准《电力建设施工技术规范 第3部分:汽轮发电机组》DL 5190.3 的有关规定。

11.2.9 机器设备所附属或相连接的各类管道的施工安装和质量验收要求应符合现行国家标准《工业金属管道工程施工规范》GB 50235 的有关规定。

11.2.10 机器、设备及管道的现场焊接操作质量要求应符合现行国家标准《现场设备、工业管道焊接工程施工规范》GB 50236 的有关规定。

Ⅱ 灌 浆 料

11.2.11 用于设备基础安装就位、调平并固定的灌浆料,应符合下列规定:

    1 应采用具有早强、高强、微膨胀、自密实、抗油渗、耐久以及使用方便的水泥基灌浆料;

    2 灌浆料中的类别号"Ⅰ、Ⅱ、Ⅲ"应符合现行国家标准《水泥基灌浆材料应用技术规范》GB/T 50448 的有关规定,主要技术性能指标应符合表 11.2.11 的要求。

表 11.2.11 灌浆料主要技术性能指标

项目 类别	竖向膨胀率(%)	抗压强度(MPa)			流动度初始值(mm)	与圆钢间握裹强度(MPa)	与混凝土间粘结强度(MPa)	施工温度(℃)	
	3h	1d	3d	28d				常温型	防冻型
Ⅰ类	0.1~3.5	≥20	≥40	≥60	≥380	≥4.0	≥2.5	≥5	−10
Ⅱ类	0.1~3.5	≥20	≥40	≥60	≥340	≥4.0	≥2.5	≥5	−10
Ⅲ类	0.1~3.5	≥20	≥40	≥60	≥290	≥4.0	≥2.5	≥5	−10

注:1 最大集料粒径应小于或等于 4.75mm;
    2 表中性能指标均应按产品要求的最大用水量检验;
    3 竖向膨胀率的 24h 与 3h 的膨胀值之差宜为 0.2~0.5;
    4 流动度的 30min 保留值不应小于其初始值的 90%,对于冬季的灌浆料可不做要求;
    5 灌浆料与混凝土的正拉粘结强度应大于或等于 2.5MPa,且为混凝土先破坏。

11.2.12 灌浆料的适用范围应符合下列规定:

    1 地脚螺栓锚固用灌浆料应符合表 11.2.12-1 的规定;

表 11.2.12-1　地脚螺栓锚固用灌浆料

螺栓表面与孔壁的净间距(mm)	灌浆料类别
15～50	Ⅰ类、Ⅱ类
51～100	Ⅱ类、Ⅲ类

2　基础二次灌浆用灌浆料应符合表 11.2.12-2 的规定；

表 11.2.12-2　基础二次灌浆用灌浆料

灌浆层的厚度(mm)	灌浆料类别
5～30	Ⅰ类
31～80	Ⅱ类
81～200	Ⅲ类

3　当灌浆层厚度大于 150mm 时，可平均分为两次灌浆。应根据实际分层厚度按表 11.2.12-2 选择灌浆料类别。第二次灌浆宜在第一次灌浆 24h 后，且灌浆前应对第一次灌浆层表面做凿毛处理。

11.2.13　灌浆料的搅拌、养护操作应符合下列规定：

1　灌浆料搅拌时，应按产品规定的用水量加水，搅拌用水应采用饮用水，使用其他水源时，应符合现行行业标准《混凝土用水标准》JGJ 63 的有关规定；

2　灌浆料宜采用机械搅拌，应先加入 2/3 的用水量搅拌，然后再加入剩余用水量搅拌直至均匀，生产厂家对产品有具体要求时，应按其要求进行搅拌，搅拌地点宜靠近灌浆作业处；

3　养护方法、拆模时间、季节性的施工应符合现行国家标准《水泥基灌浆材料应用技术规范》GB/T 50448 和《混凝土结构工程施工质量验收规范》GB 50204 的有关规定。

11.2.14　灌浆料的使用尚应符合下列规定：

1　现场使用时，不应在灌浆料中掺入任何外加剂、外掺料；

2　配合灌浆料使用的基础混凝土强度等级不应低于 C20；

3　灌浆前应将基础表面凿毛、清理、湿润，灌浆作业应一次连续完成。二次灌浆应在设备安装合格后进行。

11.3 基础的测试

11.3.1 沉降观测点应根据设计图纸对设备基础的沉降观测要求在设备基础上设置，并应做好观测点的保护，以及各个阶段的观测记录及其交接、验收工作。

11.3.2 基础的沉降观测应满足设计要求，并宜在下列时段进行观测：
    1 基础混凝土施工养护完毕时；
    2 机器设备安装开始前，工序交接时；
    3 机器设备全部安装完成后；
    4 机器设备正式投入运行时；
    5 生产持续运行后1个月、3个月、6个月、1年～3年。

11.3.3 需要进行设备专项测试的设备基础，其测试位置应在基础的平面、剖面、详图设计中作出相应配置。施工、安装、运行等工序应协调配合，应满足机器的开停运行、负荷变化、速度升降等各个工况下检验、测试的技术规定。

11.3.4 机器设备安装、测试采用的各种检测、计量的仪表、仪器和相关设备、工器具，其性能、技术指标应满足被测定项目的技术要求，并应符合现行国家标准《建筑工程容许振动标准》GB 50868的有关规定。

11.4 基础的防护

11.4.1 机器设备在运行、检修以及测试等各类工况下，所遇到的各类介质腐蚀特性，含强弱、时效、温度、湿度等环境条件，应由工艺等相关专业负责提供。设计应做好设备基础的防护设计。

11.4.2 设备基础受地基土、地下水，以及工艺生产介质的腐蚀性作用，其腐蚀性等级确定及其基本防护要求应符合现行国家标准《岩土工程勘察规范》GB 50021、《工业建筑防腐蚀设计规范》GB

50046 的有关规定。

11.4.3 对于具有碱性弱腐蚀等级的基础,宜选用密实性良好的材料,可不做表面防护,但应做好基础顶面及周边的防排水。

11.4.4 对于具有碱性中腐蚀等级及以上的基础,应选用普通硅酸盐水泥或硅酸盐水泥,不得选用高铝水泥或以铝酸盐成分为主的膨胀水泥,且不得使用铝酸盐类的混凝土掺加剂,防护处理应符合下列规定:

　　1 具有碱性中腐蚀等级的基础宜采用耐碱混凝土。当为大体积混凝土时,可只对与腐蚀介质直接接触的部位采用厚度不小于 300mm 的耐碱混凝土面层,或厚度不应小于 40mm 的耐碱砂浆防护层;防护层以下部分可采用普通混凝土。

　　2 具有碱性强腐蚀性等级的基础应采用耐碱混凝土;基础的找平层及二次灌浆层也应采用耐碱混凝土,厚度不宜小于 50mm。

11.4.5 对于具有酸性中腐蚀等级及以上的基础,防护处理应符合下列规定:

　　1 酸性中腐蚀时,宜采用沥青冷底子油 2 遍,沥青胶泥涂层厚度宜大于或等于 500μm;也可采用环氧沥青、聚氨酯沥青涂层,厚度宜大于或等于 300μm。

　　2 酸性强腐蚀时,宜采用环氧沥青、聚氨酯沥青涂层,厚度宜大于或等于 500μm;也可采用树脂玻璃鳞片涂层,厚度宜大于或等于 300μm;也可采用环氧沥青、聚氨酯沥青加贴玻璃布面层,厚度宜大于或等于 1mm。

　　3 位于地面以上,具有冲击、磨损、洁净等要求的基础表面,应外贴耐酸材质的面层(含石材、陶或瓷板、瓷砖)防护。

　　4 选用掺加抗硫酸盐外加剂、钢筋阻蚀剂等材料制作的混凝土,当防护性满足要求时,可直接用于具有较强腐蚀等级的设备基础。

11.4.6 具有腐蚀性作用的桩基础宜采用预制钢筋混凝土桩,并宜做好桩接头的防护；当采用混凝土灌注桩时，混凝土强度等级不宜低于C35，最大水胶比宜小于0.45，钢筋保护层宜大于或等于50mm。当确有必要时，尚宜对桩身混凝土留出腐蚀余量。

附录 A 简谐荷载作用下基础的振动计算

A.1 大块式、墙式基础

A.1.1 当基组的质心与基础底面形心之间的偏心距符合本规范第3.1.8条要求时,基组的竖向和扭转振动可分别按单自由度计算,水平和回转的耦联振动应按两个自由度体系计算。当一台机器同时存在几种扰力和扰力矩时,计算基础顶面控制点的振动线位移时,应分别计算各扰力和扰力矩作用下的振动计算值;当机器存在一谐和二谐扰力时,也应分别进行振动计算,并应按本规范第3.2.8条的规定进行叠加。大块式、墙式基础进行振动计算时,宜按本规范第7.1.6条确定计算草图。

A.1.2 基组在通过其质心的竖向扰力标准值 P_{zk} 作用下,其竖向振动线位移可按下列公式计算:

$$d_z = \frac{P_{zk}}{K_z} \times \frac{1}{\sqrt{\left(1-\dfrac{\omega^2}{\omega_{nz}^2}\right)^2 + 4\zeta_z^2 \dfrac{\omega^2}{\omega_{nz}^2}}} \quad (A.1.2\text{-}1)$$

$$\omega_{nz} = \sqrt{\frac{K_z}{m}} \quad (A.1.2\text{-}2)$$

$$m = m_f + m_m + m_s \quad (A.1.2\text{-}3)$$

式中:d_z——基组质心处的竖向振动线位移(m);

P_{zk}——机器的竖向扰力标准值(kN);

K_z——天然地基、桩基的抗压刚度(kN/m);

ω_{nz}——基组的竖向固有圆频率(rad/s);

m——基组质量(t);

m_f——基础的质量(t);

m_m——基础上机器及附件的质量(t);

m_s——基础上回填土的质量(t);

ω——机器的扰力圆频率(rad/s);

ζ_z——天然地基、桩基的竖向阻尼比。

A.1.3 基组在扭转扰力矩标准值 $M_{\psi k}$ 和水平扰力标准值 P_{xk} 沿 y 向偏心作用下,产生绕 z 轴的扭转振动(图 A.1.3),其水平扭转振动线位移可按下列公式计算:

$$d_{x\psi} = \frac{(M_{\psi k} + P_{xk} e_y) l_y}{K_\psi \sqrt{\left(1 - \frac{\omega^2}{\omega_{n\psi}^2}\right)^2 + 4\zeta_\psi^2 \frac{\omega^2}{\omega_{n\psi}^2}}} \quad (A.1.3-1)$$

$$d_{y\psi} = \frac{(M_{\psi k} + P_{xk} e_y) l_x}{K_\psi \sqrt{\left(1 - \frac{\omega^2}{\omega_{n\psi}^2}\right)^2 + 4\zeta_\psi^2 \frac{\omega^2}{\omega_{n\psi}^2}}} \quad (A.1.3-2)$$

$$\omega_{n\psi} = \sqrt{\frac{K_\psi}{J_z}} \quad (A.1.3-3)$$

式中:$d_{x\psi}$——基础顶面角点由于扭转振动产生沿 x 轴向的水平振动线位移(m);

$d_{y\psi}$——基础顶面角点由于扭转振动产生沿 y 轴向的水平振动线位移(m);

P_{xk}——机器的水平扰力标准值(kN);

$M_{\psi k}$——机器的扭转扰力矩标准值(kN·m);

l_y——基础顶面角点至扭转轴在 y 向的水平距离(m);

l_x——基础顶面角点至扭转轴在 x 向的水平距离(m);

e_y——机器水平扰力标准值 P_{xk} 沿 y 轴向的偏心距离(m);

K_ψ——天然地基、桩基的抗扭刚度(kN·m);

J_z——基组质量通过其质心处 z 轴的极转动惯量(t·m²);

$\omega_{n\psi}$——基组的扭转振动固有圆频率(rad/s);

ζ_ψ——天然地基、桩基的扭转向阻尼比。

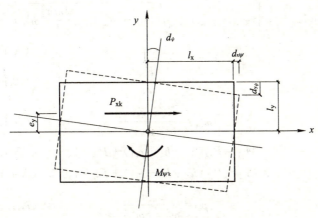

图 A.1.3 基组扭转振动

A.1.4 基组在水平扰力标准值 P_{xk} 和竖向扰力标准值 P_{zk} 沿 x 向偏心作用下,产生 x 向水平、绕 y 轴回转的耦合振动(图 A.1.4),其基础顶面控制点的竖向和水平向振动线位移可按下列公式计算:

$$d_{z\varphi} = (d_{\varphi 1} + d_{\varphi 2}) l_x \quad \text{(A.1.4-1)}$$

$$d_{x\varphi} = d_{\varphi 1}(\rho_{\varphi 1} + h_1) + d_{\varphi 2}(h_1 - \rho_{\varphi 2}) \quad \text{(A.1.4-2)}$$

$$d_{\varphi 1} = \frac{M_{\varphi 1}}{(J_y + m\rho_{\varphi 1}^2)\omega_{n\varphi 1}^2} \times \frac{1}{\sqrt{\left(1 - \frac{\omega^2}{\omega_{n\varphi 1}^2}\right)^2 + 4\zeta_{x\varphi 1}^2 \frac{\omega^2}{\omega_{n\varphi 1}^2}}}$$

(A.1.4-3)

$$d_{\varphi 2} = \frac{M_{\varphi 2}}{(J_y + m\rho_{\varphi 2}^2)\omega_{n\varphi 2}^2} \times \frac{1}{\sqrt{\left(1 - \frac{\omega^2}{\omega_{n\varphi 2}^2}\right)^2 + 4\zeta_{x\varphi 2}^2 \frac{\omega^2}{\omega_{n\varphi 2}^2}}}$$

(A.1.4-4)

$$\omega_{n\varphi 1}^2 = \frac{1}{2}\left[(\omega_{nx}^2 + \omega_{n\varphi}^2) - \sqrt{(\omega_{nx}^2 - \omega_{n\varphi}^2)^2 + \frac{4mh_2^2}{J_y}\omega_{nx}^4}\right]$$

(A.1.4-5)

$$\omega_{n\varphi2}^2 = \frac{1}{2}\left[(\omega_{nx}^2 + \omega_{n\varphi}^2) + \sqrt{(\omega_{nx}^2 - \omega_{n\varphi}^2)^2 + \frac{4mh_2^2}{J_y}\omega_{nx}^4}\right]$$
(A.1.4-6)

$$\omega_{nx}^2 = \frac{K_x}{m} \quad (A.1.4-7)$$

$$\omega_{n\varphi}^2 = \frac{K_\varphi + K_x h_2^2}{J_y} \quad (A.1.4-8)$$

$$M_{\varphi1} = P_{xk}(h_1 + h_0 + \rho_{\varphi1}) + P_{zk} \cdot e_x \quad (A.1.4-9)$$

$$M_{\varphi2} = P_{xk}(h_1 + h_0 + \rho_{\varphi2}) + P_{zk} \cdot e_x \quad (A.1.4-10)$$

$$\rho_{\varphi1} = \frac{\omega_{nx}^2 h_2}{\omega_{nx}^2 - \omega_{n\varphi1}^2} \quad (A.1.4-11)$$

$$\rho_{\varphi2} = \frac{\omega_{nx}^2 h_2}{\omega_{n\varphi2}^2 - \omega_{nx}^2} \quad (A.1.4-12)$$

$$K_\varphi = C_\varphi I_y \quad (A.1.4-13)$$

式中：$d_{z\varphi}$——基础顶面控制点由于 x 向水平绕 y 轴回转耦合振动产生的竖向振动线位移(m)；

$d_{x\varphi}$——基础顶面控制点由于 x 向水平绕 y 轴回转耦合振动产生的 x 向水平振动线位移(m)；

$d_{\varphi1}$——基组 x-φ 向耦合振动第一振型的回转角位移(rad)；

$d_{\varphi2}$——基组 x-φ 向耦合振动第二振型的回转角位移(rad)；

$\rho_{\varphi1}$——基组 x-φ 向耦合振动第一振型转动中心至基组重心的距离(m)；

$\rho_{\varphi2}$——基组 x-φ 向耦合振动第二振型转动中心至基组重心的距离(m)；

$M_{\varphi1}$——绕通过 x-φ 向耦合振动第一振型转动中心 $O_{\varphi1}$ 并垂直于回转面 zox 轴的总扰力矩(kN·m)；

$M_{\varphi2}$——绕通过 x-φ 向耦合振动第二振型转动中心 $O_{\varphi2}$ 并垂直于回转面 zox 轴的总扰力矩(kN·m)；

$\omega_{n\varphi1}$——基组 x-φ 向耦合振动第一振型的固有圆频率(rad/s)；

$\omega_{n\varphi 2}$——基组 x-φ 向耦合振动第二振型的固有圆频率(rad/s);

ω_{nx}——基组 x 向水平固有圆频率(rad/s);

$\omega_{n\varphi}$——基组绕 y 轴回转固有圆频率(rad/s);

h_0——水平扰力作用线至基础顶面的距离(m);

h_1——基组质心至基础顶面的距离(m);

h_2——基组质心至基础底面的距离(m);

K_x——天然地基、桩基的抗剪刚度(kN/m);

K_φ——基组绕 y 轴转动时的天然地基、桩基的抗弯刚度(kN·m);

C_φ——天然地基的抗弯刚度系数;

J_y——基组质量通过质心 y 轴的转动惯量(t·m^2);

I_y——基础底面通过其形心 y 轴的惯性矩(m^4);

e_x——机器竖向扰力 P_{zk} 沿 x 轴向的偏心距(m);

$\zeta_{x\varphi 1}$——基组 x-φ 向耦合振动第一振型天然地基、桩基的阻尼比;

$\zeta_{x\varphi 2}$——基组 x-φ 向耦合振动第二振型天然地基、桩基的阻尼比。

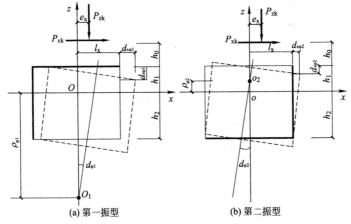

图 A.1.4 基组沿 x 向水平、绕 y 轴回转耦合振动的振型

A.1.5 基组在回转力矩标准值 $M_{\theta k}$ 和竖向扰力标准值 P_{zk} 沿 y 向偏心作用下,产生 y 向水平、绕 x 轴回转的耦合振动(图 A.1.5),其基础顶面控制点的竖向和水平向振动线位移可按下列公式计算:

$$d_{z\theta} = (d_{\theta 1} + d_{\theta 2}) l_y \quad (A.1.5\text{-}1)$$

$$d_{y\theta} = d_{\theta 1}(\rho_{\theta 1} + h_1) + d_{\theta 2}(h_1 - \rho_{\theta 2}) \quad (A.1.5\text{-}2)$$

$$d_{\theta 1} = \frac{M_{\theta 1}}{(J_x + m\rho_{\theta 1}^2)\omega_{n\theta 1}^2} \times \frac{1}{\sqrt{\left(1 - \dfrac{\omega^2}{\omega_{n\theta 1}^2}\right)^2 + 4\zeta_{y\theta 1}^2 \dfrac{\omega^2}{\omega_{n\theta 1}^2}}}$$

$$(A.1.5\text{-}3)$$

$$d_{\theta 2} = \frac{M_{\theta 2}}{(J_x + m\rho_{\theta 2}^2)\omega_{n\theta 2}^2} \times \frac{1}{\sqrt{\left(1 - \dfrac{\omega^2}{\omega_{n\theta 2}^2}\right)^2 + 4\zeta_{y\theta 2}^2 \dfrac{\omega^2}{\omega_{n\theta 2}^2}}}$$

$$(A.1.5\text{-}4)$$

$$\omega_{n\theta 1}^2 = \frac{1}{2}\left[(\omega_{ny}^2 + \omega_{n\theta}^2) - \sqrt{(\omega_{ny}^2 - \omega_{n\theta}^2)^2 + \frac{4mh_2^2}{J_x}\omega_{ny}^4}\right]$$

$$(A.1.5\text{-}5)$$

$$\omega_{n\theta 2}^2 = \frac{1}{2}\left[(\omega_{ny}^2 + \omega_{n\theta}^2) + \sqrt{(\omega_{ny}^2 - \omega_{n\theta}^2)^2 + \frac{4mh_2^2}{J_x}\omega_{ny}^4}\right]$$

$$(A.1.5\text{-}6)$$

$$\omega_{ny}^2 = \omega_{nx}^2 \quad (A.1.5\text{-}7)$$

$$\omega_{n\theta}^2 = \frac{K_\theta + K_x h_2^2}{J_x} \quad (A.1.5\text{-}8)$$

$$M_{\theta 1} = M_{\theta k} + P_z \cdot e_y \quad (A.1.5\text{-}9)$$

$$M_{\theta 2} = M_{\theta k} + P_z \cdot e_y \quad (A.1.5\text{-}10)$$

$$\rho_{\theta 1} = \frac{\omega_{ny}^2 h_2}{\omega_{ny}^2 - \omega_{n\theta 1}^2} \quad (A.1.5\text{-}11)$$

$$\rho_{\theta 2} = \frac{\omega_{ny}^2 h_2}{\omega_{n\theta 2}^2 - \omega_{ny}^2} \quad (A.1.5\text{-}12)$$

$$K_\theta = C_\varphi I_x \quad \text{(A.1.5-13)}$$

$$\zeta_{y\theta 1} = \zeta_{x\varphi 1} \quad \text{(A.1.5-14)}$$

$$\zeta_{y\theta 2} = \zeta_{x\varphi 2} \quad \text{(A.1.5-15)}$$

式中：$d_{z\theta}$——基础顶面控制点由于 y 向水平绕 x 轴回转耦合振动产生的竖向振动线位移(m)；

$d_{y\theta}$——基础顶面控制点由于 y 向水平绕 x 轴回转耦合振动产生的 y 水平振动线位移(m)；

$d_{\theta 1}$——基组 y-θ 向耦合振动第一振型的回转角位移(rad/s)；

$d_{\theta 2}$——基组 y-θ 向耦合振动第二振型的回转角位移(rad/s)；

$\rho_{\theta 1}$——基组 y-θ 向耦合振动第一振型转动中心至基组质心的距离(m)；

$\rho_{\theta 2}$——基组 y-θ 向耦合振动第二振型转动中心至基组质心的距离(m)；

$M_{\theta k}$——绕 x 轴的机器扰力矩(kN·m)；

$M_{\theta 1}$——绕通过 y-θ 向耦合振动第一振型转动中心 $O_{\theta 1}$ 并垂直于回转面 zoy 轴的总扰力矩(kN·m)；

$M_{\theta 2}$——绕通过 y-θ 向耦合振动第二振型转动中心 $O_{\theta 2}$ 并垂直于回转面 zoy 轴的总扰力矩(kN·m)；

$\omega_{n\theta 1}$——基组 y-θ 向耦合振动第一振型的固有圆频率(rad/s)；

$\omega_{n\theta 2}$——基组 y-θ 向耦合振动第二振型的固有圆频率(rad/s)；

ω_{ny}——基组 y 向水平固有圆频率(rad/s)；

$\omega_{n\theta}$——基组绕 x 轴回转固有圆频率(rad/s)；

K_x——天然地基、桩基的抗剪刚度(kN/m)；

K_θ——基组绕 x 轴转动时的天然地基、桩基的抗弯刚度(kN·m)；

J_x——基组质量通过质心处 x 轴的转动惯量(t·m²)；

I_x——基础底面通过其形心处 x 轴的惯性矩(m⁴)；

e_y——机器竖向扰力 P_{zk} 沿 y 轴向的偏心矩(m)；

$\zeta_{y\theta 1}$——基组 y-θ 向耦合振动第一振型天然地基、桩基的阻尼比；

$\zeta_{y\theta 2}$——基组y-θ向耦合振动第二振型天然地基、桩基的阻尼比。

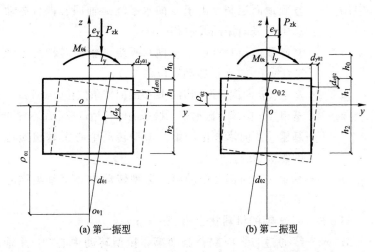

图A.1.5 基组由于$M_{\theta k}$作用绕x轴回转耦合振动的振型

A.1.6 对于操作层设在厂房底层的大块式基础，在水平扰力作用下，可采用下列简化计算公式验算基础顶面的水平振动线位移：

$$d_{x\varphi 0}=1.2\left(\frac{P_{xk}}{K_x}+\frac{P_{xk}H_h}{K_\varphi}h\right)\frac{\omega_{nls}^2}{\omega_{nls}^2-\omega^2} \quad (A.1.6-1)$$

$$\omega_{nls}=\lambda\omega_{nx} \quad (A.1.6-2)$$

$$\omega_{nx}=\sqrt{\frac{K_x}{m}} \quad (A.1.6-3)$$

式中：$d_{x\varphi 0}$——在水平扰力标准值作用下，基础顶面的水平向振动线位移（m）；

H_h——水平扰力标准值作用线至基础底面的距离（m）；

ω_{nls}——基组水平回转耦合振动第一振型的固有圆频率（rad/s）；

ω_{nx}——基组水平振动的固有圆频率（rad/s）；

λ——频率比,可按表 A.1.6 取用。

表 A.1.6 频率比 λ

L/h	λ
1.5	0.7
2.0	0.8
3.0	0.9

注:L 为基础在水平扰力作用方向的底板边长,h 为基础的高度。

A.2 构架式基础

Ⅰ 空间多自由度体系计算

A.2.1 空间多自由度体系模型建立应符合下列规定:

1 由顶板、梁、柱及底板组成的构架式基础,假定其基础底板不参与振动时,可按空间多自由度力学模型进行振动计算。应在扰力作用点、柱子与梁的节点,以及梁跨度的中点或三分点处设置质点,且应保证质点的数量(图 A.2.1-1)。

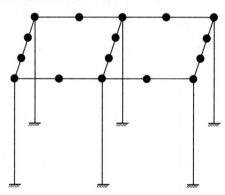

图 A.2.1-1 空间多自由度计算模型

2 建立计算模型时,应符合下列规定:
　1)杆件的质量应平均向两端的质点集中。对于顶板应先以柱内边为准将顶板按 45°角分成块,将每块板的重力分别传递到邻近的纵、横梁上,顶板上设备的重力应先按与纵、横梁的距离成反比的原则传递到梁上,然后再向邻近质点集中。

2）各节点处杆件均应交于一点并为正交。扰力及集中质量均应视为作用于杆件的几何轴心处。

3）所有杆件均应计及与杆端自由度相应的伸缩、剪切、弯曲及扭转变形。

3 构件计算尺寸的确定应符合下列规定：

1）柱子的计算长度应取底板顶到横梁中心的距离；

2）纵、横梁的计算跨度应取支座中心线间的距离。当各框架横梁的跨度相差小于30%时,可取其平均值。

3）当构架角部加腋时,杆件的计算长度可按下列公式计算：

梁的计算长度： $l = l_o - 2\alpha b$ (A.2.1-1)

柱的计算长度： $h = h_o - 2\alpha a$ (A.2.1-2)

式中：l_o——横向构架两柱或墙中心线间距离(m)；

h_o——底板顶面至横梁中心线的高度(m)；

a、b——梁、柱加腋尺寸(图 A.2.1-2)；

α——无量纲系数(图 A.2.1-3)。

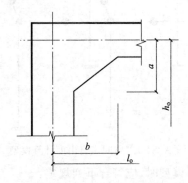

图 A.2.1-2 底板顶至横梁中线高度示意图

4）顶板为厚板时,可划分为暗梁计算。

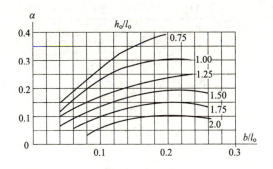

图 A.2.1-3 α 系数表

A.2.2 自由振动计算应建立刚度矩阵 $[k]$ 与质量矩阵 $[M]$（图 A.2.1-1），应按无阻尼自由振动平衡方程求解下列特征方程，并应算出 1.4 倍扰力频率范围内的每一个固有圆频率及其振型：

$$[k]\{x\} = \omega_n^2 [M]\{x\} \qquad (A.2.2)$$

A.2.3 强迫振动采用振型分解法计算振动线位移时，应取 1.4 倍扰力频率范围内的全部振型贡献叠加。钢筋混凝土结构的阻尼系数 γ 值宜取 0.125，阻尼比可采用 0.0625。应按扰力频率在 0.75 倍～1.25 倍范围内扫频的办法寻求最大的振动位移值。

A.2.4 振动计算可采用空间构架式基础振动计算程序；用空间多自由度力学模型编制的计算程序在计算结构各构件的动内力时，应采用扰力设计值。

Ⅱ 简化计算

A.2.5 电动机工作转速小于 1000r/min 的构架式基础，当只计算顶板控制点的横向水平振动线位移时，可按下列公式计算：

$$d_{x\psi} = d_x + d_\psi L_\psi \qquad (A.2.5\text{-}1)$$

$$d_x = \frac{P_{xk}}{K_{\Sigma x}} \cdot \frac{1}{\sqrt{\left(1 - \dfrac{\omega^2}{\omega_{nx}^2}\right)^2 + \dfrac{\omega^2}{64\omega_{nx}^2}}} \qquad (A.2.5\text{-}2)$$

$$d_\psi = \frac{M_{\psi k}}{K_{\Sigma\psi}} \cdot \frac{1}{\sqrt{\left(1-\frac{\omega^2}{\omega_{n\psi}^2}\right)^2 + \frac{\omega^2}{64\omega_{n\psi}^2}}} \quad (A.2.5-3)$$

$$K_{\Sigma x} = \frac{1}{\frac{1}{K_x} + \frac{h_4^2}{K_\varphi} + \frac{1}{\Sigma K_{pxj}}} \quad (A.2.5-4)$$

$$K_{\Sigma\psi} = \Sigma K_{pxj} L_{0j}^2 \quad (A.2.5-5)$$

$$\omega_{nx} = \sqrt{\frac{K_{\Sigma x}}{m_e}} \quad (A.2.5-6)$$

$$\omega_{n\psi} = \sqrt{\frac{K_{\Sigma\psi}}{J_w}} \quad (A.2.5-7)$$

$$\Sigma K_{pxj} = \sum_{j=1}^{m} \frac{12 E_c I_{cj}}{h_j^3} \left(\frac{1+6\delta_j}{2+3\delta_j}\right) \quad (A.2.5-8)$$

$$\delta_j = \frac{h_j I_{bj}}{L_j I_{cj}} \quad (A.2.5-9)$$

$$J_w = 0.1 m_e L_d^2 \quad (A.2.5-10)$$

$$M_{\psi k} = \frac{P_{xk}}{2} L_\psi \quad (A.2.5-11)$$

式中：$d_{x\psi}$——构架式电机基础顶板控制点的横向水平振动线位移(m)；

d_x——顶板质心的横向水平振动线位移(m)；

d_ψ——顶板的扭转振动角位移(rad)；

$K_{\Sigma x}$——基础及地基总的横向水平刚度(kN/m)；

$K_{\Sigma\psi}$——基础及地基总的抗扭刚度(kN·m)；

ω_{nx}——基础的水平横向固有圆频率(rad/s)；

$\omega_{n\psi}$——基础的扭转向固有圆频率(rad/s)；

ω——机器的扰力圆频率(rad/s)；

L_ψ——基础顶板质心至振动控制点的水平距离(m)；

K_{pxj}——第 j 榀横向构架的水平刚度(kN/m)；

L_{0j}——第 j 榀横向构架到顶板重心的水平距离(m);

h_4——基础高度,取基础底板底面至顶板顶面的距离(m);

δ_j——无因次系数;

I_{bj}——第 j 榀横向构架横梁的截面惯性矩(m^4);

I_{cj}——第 j 榀横向构架柱的截面惯性矩(m^4);

h_j——第 j 榀横向构架柱的计算高度(m);

L_j——第 j 榀横向构架横梁的计算跨度(m),可取 90% 的两柱中心线间的距离;

m_e——折算质量,包括全部机器、基础顶板及柱子质量的 30%(t);

J_w——折算质量 m_e 对通过顶板质心竖向轴的极转动惯量(t·m^2);

L_d——顶板的长度(m);

E_c——混凝土的弹性模量(kPa);

P_{xk}——机器的横向水平扰力标准值(kN);

$M_{\psi k}$——扭转扰力矩标准值(kN·m)。

A.2.6 当机器工作转速为 1000r/min~3000r/min,基础为横向构架与纵梁构成的空间构架,且横向构架为对称配置时,可按平面两自由度体系计算(图 A.2.6),计算基础的竖向振动线位移,应符合下列规定:

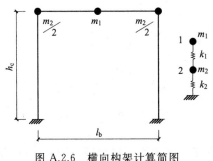

图 A.2.6 横向构架计算简图

1 横向构架质点的质量应按下列公式计算：

$$m_1 = m_m + 0.5m_b \quad (A.2.6-1)$$

$$m_2 = m_n + 0.5(m_c + m_b) \quad (A.2.6-2)$$

式中：m_1——集中于横梁中点的质量(t)；

$\quad m_2$——集中于两个柱顶的质量(t)；

$\quad m_m$——集中于横梁中点的机器质量(t)；

$\quad m_b$——横梁本身的质量(t)；

$\quad m_n$——相邻纵梁传给构架两根柱(含结构和机器)的质量(t)；

$\quad m_c$——两根柱的质量(t)。

2 横向构架的竖向固有圆频率，梁、柱竖向刚度应按下列公式计算：

$$\omega_{n1}^2 = \frac{1}{2}\left(\frac{K_1}{m_1} + \frac{K_1+K_2}{m_2}\right) - \frac{1}{2}\sqrt{\left(\frac{K_1}{m_1} + \frac{K_1+K_2}{m_2}\right)^2 - 4\frac{K_1 K_2}{m_1 m_2}} \quad (A.2.6-3)$$

$$\omega_{n2}^2 = \frac{1}{2}\left(\frac{K_1}{m_1} + \frac{K_1+K_2}{m_2}\right) + \frac{1}{2}\sqrt{\left(\frac{K_1}{m_1} + \frac{K_1+K_2}{m_2}\right)^2 - 4\frac{K_1 K_2}{m_1 m_2}} \quad (A.2.6-4)$$

$$K_1 = \frac{1}{\frac{l_b^3}{96 E_c I_b} \times \frac{1+2\delta}{2+\delta} + \frac{3}{5} \times \frac{l_b}{E_c A_b}} \quad (A.2.6-5)$$

$$K_2 = \frac{2 E_c A_c}{h_c} \quad (A.2.6-6)$$

$$\delta = \frac{h_c I_b}{l_b I_c} \quad (A.2.6-7)$$

$$X_{21} = \frac{K_1 - m_1 \omega_{n1}^2}{K_1} \quad (A.2.6-8)$$

$$X_{22} = \frac{K_1 - m_1 \omega_{n2}^2}{K_1} \quad (A.2.6-9)$$

式中：ω_{n1}——框架的竖向第一振型固有圆频率(rad/s)；

$\quad \omega_{n2}$——构架的竖向第二振型固有圆频率(rad/s)；

K_1——构架梁的竖向刚度(kN/m);

K_2——构架柱的竖向刚度(kN/m);

A_b——横梁的截面积(m^2);

A_c——柱的截面积(m^2);

I_b——横梁的截面惯性矩(m^4);

I_c——柱的截面惯性矩(m^4);

X_{21}——第一振型时2点与1点的位移比值;

X_{22}——第二振型时2点与1点的位移比值;

E_c——混凝土的弹性模量(kN/m^2);

l_b——横向构架平面内两柱中心线间的距离(m);

h_c——底板顶至横梁中心线的距离(m);

δ——无因次系数。

3 当构架竖向第二振型的固有圆频率小于或等于机器扰力圆频率的1.25倍时,横向构架的横梁中点和柱顶点的竖向振动线位移应按下列规定做两种共振状态下的验算:

1) 当机器扰力圆频率等于第一振型固有圆频率时,应按下列公式计算:

$$d_{11} = \alpha_p \beta_1 \eta_{\max} \frac{\sqrt{m_{g1}^2 + (m_{g2} X_{21})^2}}{m_1 + m_2 X_{21}^2} \quad \text{(A.2.6-10)}$$

$$d_{21} = d_{11} X_{21} \quad \text{(A.2.6-11)}$$

式中:d_{11}——扰频与第一振型固有频率相等时横梁中点的竖向振动线位移(mm);

d_{21}——扰频与第一振型固有频率相等时,柱顶点的竖向振动线位移(mm);

β_1——第一振型的空间影响系数。边构架可取$\beta_1=1.3$,中间构架可取$\beta_1=1.0$;

α_p——系数,当机器转速为3000r/min时,可取$\alpha_p=0.02$;当机器转速为1500r/min时,可取$\alpha_p=0.064$;

$\eta_{\max}$——最大动力系数,可取8;

m_{g1}——横梁中点承担的机器的转子质量(t);

m_{g2}——柱顶承担的机器的转子质量(t);

X_{21}——第一振型时2点与1点的位移比值。

2) 当机器扰力圆频率等于第二振型固有圆频率时,应按下列公式计算:

$$d_{12}=\alpha_p\beta_2\eta_{\max}\frac{\sqrt{m_{g1}^2+(m_{g2}X_{22})^2}}{m_1+m_2X_{22}^2} \quad (A.2.6-12)$$

$$d_{22}=d_{12}X_{22} \quad (A.2.6-13)$$

式中:β_2——第二振型的空间影响系数。边构架可取 $\beta_2=1.3$,中间构架可取 $\beta_2=0.7$;

d_{12}——扰频与第二振型固有频率相等时横梁中点的竖向振动线位移(mm);

d_{22}——扰频与第二振型固有频率相等时,柱顶点的竖向振动线位移(mm);

X_{22}——第二振型时2点与1点的位移比值。

4 当构架竖向第二振型的固有圆频率大于机器扰力圆频率的1.25倍时,可仅按本规范式(A.2.6-10)和式(A.2.6-11)验算扰频等于第一振型的固有频率的横梁中点和柱顶点的竖向振动线位移。

附录 B 部分机器的动力荷载计算

B.1 破碎机动力荷载近似计算

B.1.1 当难以获得破碎机的动力荷载(扰力)时,破碎机扰力的近似计算可分别根据不同机器种类,按下列规定进行计算:

1 简摆式颚式破碎机应计算动颚板、连杆及偏心轴等运动部件产生的扰力,复摆式颚式破碎机可只计算动颚板及偏心轴产生的扰力;

2 旋回破碎机应计算动锥体、平衡块绕垂直轴线作水平回转时产生的扰力;

3 圆锥破碎机应计算动锥体、平衡块绕垂直轴线作水平回转时产生的扰力,对于偏心轴套含套内的主轴部分可认为其质心在主轴上,不计该部分的扰力;

4 锤式、反击式破碎机应计算锤头及板锤在使用过程中,由于不均匀磨损而造成旋转体质量偏心产生的扰力;

5 辊式破碎机扰力可忽略不计。

B.1.2 颚式破碎机扰力的标准值计算(图 B.1.2)应符合下列规定:

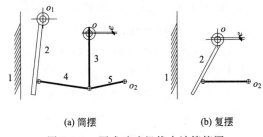

(a) 简摆   (b) 复摆

图 B.1.2 颚式破碎机扰力计算简图

o—偏心轴;1—固定颚板;2—动颚板;3—连杆;
4、5—推力板;o_1—活动颚板轴;o_2—接点

1 简摆式颚式破碎机应按下列公式计算：

垂直扰力的标准值(kN)：$P_{zk} = e\omega^2(m_a + m_b)$ (B.1.2-1)

水平扰力的标准值(kN)：$P_{xk} = e\omega^2\sqrt{(m_a + 0.8m_b)^2 + 0.25m_c}$

(B.1.2-2)

2 复摆式颚式破碎机应按下列公式计算：

垂直扰力的标准值(kN)：$P_{zk} = [e(m_a + m_c) - e_1 m_d]\omega^2$

(B.1.2-3)

水平扰力的标准值(kN)：$P_{xk} = [e(m_a + 0.5m_c) - e_1 m_d]\omega^2$

(B.1.2-4)

式中：m_a——偏心轴的质量(t)；

m_b——连杆的质量(t)；

m_c——动颚板(包括齿板)的质量(t)；

m_d——平衡块的质量(t)；

e——偏心轴的偏心距(m)；

e_1——平衡块质心至破碎机立轴中心线的距离(m)；

ω——机器的圆频率(rad/s)。

3 颚式破碎机扰力作用点应在偏心主轴的中心线上。

B.1.3 旋回破碎机水平扰力的标准值(图 B.1.3)应按下列公式计算：

$$P_{xk} = (m_1 e_1 - m_2 e_2)\omega^2 \quad \text{(B.1.3-1)}$$

$$e_1 = L\sin\beta \quad \text{(B.1.3-2)}$$

$$e_2 = 2L\sin\beta \quad \text{(B.1.3-3)}$$

式中：m_1——主轴及其相连的破碎锥的总质量(t)；

m_2——齿轮偏心轴套的总质量(t)；

e_1——破碎机中心线至 m_1 质心的距离(m)；

e_2——破碎机中心线至 m_2 质心的距离(m)；

ω——主轴的圆频率(rad/s)；

L——主轴长度之半(m)；

β——主轴回转偏角(°)。

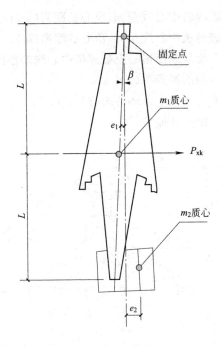

图 B.1.3　旋回破碎机计算简图

B.1.4 圆锥破碎机水平扰力标准值的计算(图 B.1.4-1)应符合下列规定：

1 扰力标准值应按下列公式计算：

$$P_{xk} = (m_1 e_1 - m_2 e_2)\omega^2 \quad \text{(B.1.4-1)}$$

$$e_1 = H_1' \sin\beta \quad \text{(B.1.4-2)}$$

$$e_2 = e_2' \cdot \frac{\sin\alpha}{\alpha} \quad \text{(B.1.4-3)}$$

式中：P_{xk}——破碎机水平扰力合力标准值(kN)；

$\quad m_1$——主轴(不包括偏心轴套内的轴重)及伞形锥体的质量(t)；

$\quad m_2$——平衡块的质量(t)；

$\quad H_1'$——m_1 的质心至不动点的距离(m)；

e_1——破碎机中心线至 m_1 质心的距离(m);
e_2——破碎机中心线至 m_2 质心的距离(m);
e_2'——平衡块断面形心至破碎机中心线的距离(m);
ω——主轴的圆频率(rad/s);
α——平衡块之伞形环的圆心角(°);
β——主轴回转偏角(°)。

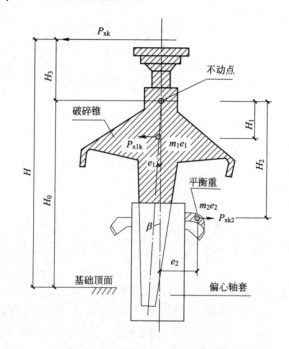

图 B.1.4-1 圆锥破碎机计算简图

2 求伞形锥体及平衡块的质心及断面形心时,应将其分解成若干近似的规则形状(图 B.1.4-2、图 B.1.4-3),应按下列公式计算:

$$H_1' = \frac{\sum V_i \cdot y_i}{\sum V_i} \qquad (B.1.4\text{-}4)$$

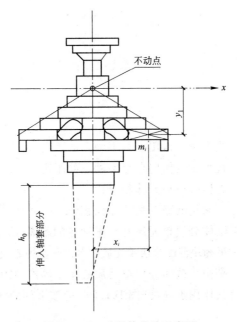

图 B.1.4-2 动锥体分块示意图

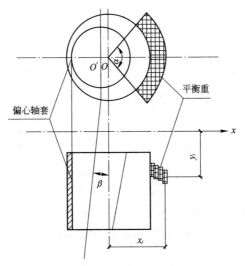

图 B.1.4-3 平衡块之伞形环分块示意图

$$H_1 = \frac{\sum V_i \cdot y_i^2}{\sum V_i \cdot y_i} \qquad (B.1.4-5)$$

$$H_2 = \frac{\sum F_j \cdot y_j}{\sum F_j} \qquad (B.1.4-6)$$

$$e_2' = \frac{\sum F_j \cdot x_j}{\sum F_j} \qquad (B.1.4-7)$$

式中：H_1——扰力 P_{x1k} 作用点至不动点的距离(m)；

H_2——扰力 P_{x2k} 作用点至不动点的距离(m)；

V_i——锥体分块单元体积(m^3)；

F_j——平衡块截面分块单元面积(m^2)；

y_i——锥体分块单元质心至不动点的距离(m)；

x_j——平衡块截面分块单元质心至破碎机中心线的距离(m)；

y_j——平衡块截面分块单元质心至不动点的距离(m)。

3 P_{xk} 及其作用点高度(图 B.1.4-4)应按下列公式计算：

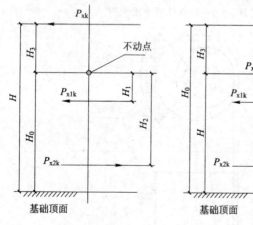
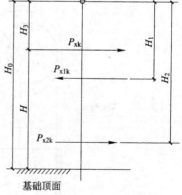

(a) P_{xk}作用在不动点上部　　(b) P_{xk}作用在不动点下部

图 B.1.4-4　扰力作用位置示意图

$$P_{xk} = |P_{x1k} - P_{x2k}| \qquad (B.1.4-8)$$

用于图 B.1.4-4(a)时： $H = H_0 + H_3$ (B.1.4-9)
用于图 B.1.4-4(b)时： $H = H_0 - H_3$ (B.1.4-10)

$$H_3 = \frac{P_{x1k}H_1 - P_{x2k}H_2}{P_{xk}}$$ (B.1.4-11)

式中：P_{x1k}——动锥产生的水平扰力标准值(kN)；
P_{x2k}——平衡块产生的水平扰力标准值(kN)；
H——破碎机扰力 P_{xk} 作用点至基础顶面的距离(m)；
H_0——不动点至基础顶面的距离(m)；
H_3——破碎机扰力 P_{xk} 作用点至不动点的距离(m)。

B.1.5 锤式、反击式破碎机扰力的标准值(kN)的计算应符合下列规定：

1 扰力的标准值应按下式计算：

$$P_{xk} = m e_0 \omega^2$$ (B.1.5)

式中：m——旋转部件(包括主轴和破碎锤)的质量(t)；
e_0——当量偏心距(m)；
ω——机器主轴的圆频率(rad/s)。

2 当量偏心距取值宜符合下列规定：
  1) 锤式破碎机可取 $e_0 = 1.0 \times 10^{-3} m$；
  2) 反击式破碎机用于碎煤时可取 $e_0 = (1.5 \sim 2.0) \times 10^{-3} m$；
  3) 反击式破碎机用于碎石时可取 $e_0 = (2.0 \sim 3.0) \times 10^{-3} m$。

B.2 活塞式压缩机动力荷载计算

B.2.1 活塞式压缩机的扰力应为机器主轴连接的多个活塞机构产生的扰力之和。活塞式压缩机的最大竖向扰力 P_{zmax}、最大水平扰力 P_{xmax}，以及由活塞机构的竖向扰力 P_{zik}、水平扰力 P_{xik} 所产生的最大回转扰力矩 $M_{\theta max}$、最大扭转扰力矩 $M_{\psi max}$，应根据活塞装置的布置方式及位置计算确定。

B.2.2 当活塞式压缩机的扰力难以提供时，应提供下列设计计算资料：

1 机器的型号、转速、规格和外形尺寸；
 2 机器质量和质心位置；
 3 机器主轴的转速；
 4 机器各运动部件的分布位置及其重力,含主轴连接的活塞机构的曲柄销、曲柄臂、连杆、平衡块及往复运动的十字头、活塞杆、活塞等；
 5 各汽缸曲柄之间的夹角。

B.2.3 活塞式压缩机主轴上连接的第 i 个活塞机构产生的扰力标准值(图 B.2.3-1、图 B.2.3-2)应符合下列规定：

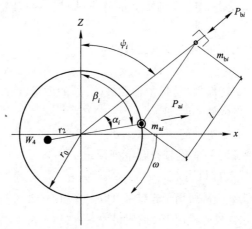

图 B.2.3-1　α_i、β_i、ψ_i 关系图

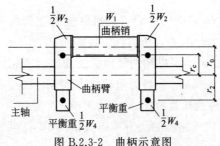

图 B.2.3-2　曲柄示意图

1 作用在水平方向和竖向的一谐扰力(kN)应按下列公式计算：

$$P'_{xik} = r_0 \omega^2 (m_{ai} \sin\beta_i + m_{bi} \cos\alpha_i \sin\psi_i) \quad (B.2.3\text{-}1)$$

$$P'_{zik} = r_0 \omega^2 (m_{ai} \cos\beta_i + m_{bi} \cos\alpha_i \cos\psi_i) \quad (B.2.3\text{-}2)$$

2 作用在水平方向和竖向的二谐扰力(kN)应按下列公式计算：

$$P''_{xik} = \frac{r_0^2 \omega^2}{l}(m_{bi} \cos 2\alpha_i \sin\psi_i) \quad (B.2.3\text{-}3)$$

$$P''_{zik} = \frac{r_0^2 \omega^2}{l}(m_{bi} \cos 2\alpha_i \cos\psi_i) \quad (B.2.3\text{-}4)$$

$$m_{ai} = \left[W_1 + \frac{r_c}{r_0}W_2 + 0.7W_3 - \frac{r_2}{r_0}W_4\right]/g \quad (B.2.3\text{-}5)$$

$$m_{bi} = (W_c + 0.3W_3)/g \quad (B.2.3\text{-}6)$$

式中：r_0——曲柄半径(m)；
　　　ω——主轴的圆频率(rad/s)；
　　　l——连杆的长度(m)；
　　　m_{ai}——第 i 个活塞机构中各部分换算到曲柄销处的质量(t)；
　　　m_{bi}——第 i 个活塞机构中各部分换算到十字头处的质量(t)；
　　　W_1——曲柄销的重力(kN)；
　　　W_2——曲柄臂的重力(kN)；
　　　W_3——连杆的重力(kN)；
　　　W_4——平衡重的重力(kN)；
　　　W_c——十字头、活塞杆及活塞等往复运动部件的重力(kN)；
　　　r_c——曲柄臂质心至主轴中心线的距离(m)；
　　　r_2——平衡重的质心至主轴中心线的距离(m)；
　　　α_i——第 i 个活塞机构中活塞中心线与曲柄的夹角(°)；
　　　ψ_i——Z 轴正向与第 i 个活塞中心线的夹角(°)；

β_i——Z 轴正向与第 i 个曲柄的夹角，β_i 为 ψ_i 与 α_i 之和(°)；

g——重力加速度，取 9.81m/s^2。

B.2.4 活塞式压缩机的竖向扰力标准值 P_{zk}、水平向扰力标准值 P_{xk}，以及回转扰力矩标准值 $M_{\theta k}$、扭转扰力矩标准值 $M_{\psi k}$ 计算时，应按图 B.2.4 所示建立坐标系，机器主轴上各汽缸布置的中心应作为坐标原点 C，Z 轴向上为正，X 轴向右为正，主轴方向为 Y 轴，主轴以角速度 ω 顺时针旋转。图 B.2.4 中各扰力、扰力矩的作用点应作为坐标原点 C，正方向应为图 B.2.4 所示方向。各扰力、扰力矩标准值应按下列公式计算：

$$P'_{zk} = \sum_{i=1}^{n} P'_{zik} \tag{B.2.4-1}$$

$$P''_{zk} = \sum_{i=1}^{n} P''_{zik} \tag{B.2.4-2}$$

$$P'_{xk} = \sum_{i=1}^{n} P'_{xik} \tag{B.2.4-3}$$

$$P''_{xk} = \sum_{i=1}^{n} P''_{xik} \tag{B.2.4-4}$$

$$M'_{\theta k} = \sum_{i=1}^{n} P'_{zik} \cdot Y_i \tag{B.2.4-5}$$

$$M''_{\theta k} = \sum_{i=1}^{n} P''_{zik} \cdot Y_i \tag{B.2.4-6}$$

$$M'_{\psi k} = \sum_{i=1}^{n} P'_{xik} \cdot Y_i \tag{B.2.4-7}$$

$$M''_{\psi k} = \sum_{i=1}^{n} P''_{xik} \cdot Y_i \tag{B.2.4-8}$$

式中： P'_{zk}、P''_{zk} —— 机器的一谐、二谐竖向扰力(kN)；

P'_{xk}、P''_{xk} —— 机器的一谐、二谐水平向扰力(kN)；

$M'_{\theta k}$、$M''_{\theta k}$ —— 机器的一谐、二谐回转力矩(kN·m)；

$M'_{\psi k}$、$M''_{\psi k}$ —— 机器的一谐、二谐扭转力矩(kN·m)；

P'_{zik}、P''_{zik}、P'_{xik}、P''_{xik} —— 机器第 i 列曲柄连杆机构的一谐、二谐分竖向扰力、分水平扰力，作用点为主轴上第 i 列汽缸中心线处(kN)；

Y_i —— 坐标原点 C 至第 i 列汽缸中心线的距离(m)；

n —— 曲柄连杆机构的总列数。

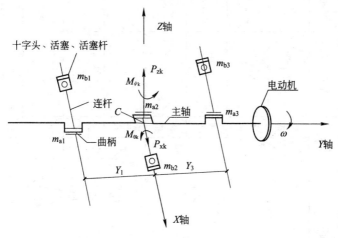

图 B.2.4 坐标轴选取示意图

B.2.5 一台机器主轴上连接的所有活塞机构均相同时，常用各类活塞式压缩机的竖向扰力标准值 P_{zk}、水平扰力标准值 P_{xk} 以及由各谐 P_{zik}、P_{xik} 所产生的回转扰力矩标准值 $M_{\theta k}$、扭转扰力矩标准值 $M_{\psi k}$ 的计算及其最大值应按表 B.2.5 中的公式计算。

表 B.2.5 单、双、三列立式压缩机扰力、扰力矩计算公式

形式	计算简图			水平扰力 P_{xk}	竖向扰力 P_{zk}	扭转力矩 $M_{\varphi k}$	回转力矩 $M_{\theta k}$
单列立式		一谐	通式	$r_0\omega^2 m_a \sin\omega t$	$r_0\omega^2(m_a+m_b)\cos\omega t$	0	0
			峰值	$r_0\omega^2 m_a$	$r_0\omega^2(m_a+m_b)$	0	0
		二谐	通式	0	$r_0\omega^2\lambda m_b\cos2\omega t$	0	0
			峰值	0	$r_0\omega^2\lambda m_b$	0	0
双列立式		一谐	通式	0	0	$r_0\omega^2 cm_a\sin\omega t$	$r_0\omega^2 c(m_a+m_b)\cos\omega t$
			峰值	0	$2r_0\omega^2\lambda m_b\cos\omega t$	$r_0\omega^2 cm_a$	$r_0\omega^2 c(m_a+m_b)$
		二谐	通式	0	$2r_0\omega^2\lambda m_b$	0	0
			峰值	0		0	0

续表 B.2.5

形式	计算简图			水平扰力 P_{xk}	竖向扰力 P_{zk}	扭转力矩 $M_{\psi k}$	回转力矩 $M_{\theta k}$
三列立式		一谐	通式	0	0	$\dfrac{\sqrt{3}}{2} r_0\omega^2 m_a$ $(\sqrt{3}\sin\omega t - \cos\omega t)$	$r_0\omega^2 c[1.5(m_a+m_b)$ $\cos\omega t + \dfrac{\sqrt{3}}{2}$ $(m_a+m_b)\sin\omega t]$
			峰值	0	0	$\sqrt{3} r_0\omega^2 c m_a$	$\sqrt{3} r_0\omega^2 c$ (m_a+m_b)
		二谐	通式	0	0	0	$r_0\omega^2 c\lambda m_b$ $(1.5\cos2\omega t$ $-\dfrac{\sqrt{3}}{2}\sin2\omega t)$
			峰值	0	0	0	$\sqrt{3} r_0\omega^2 \lambda c m_b$
单V形		一谐	通式	$\dfrac{\sqrt{2}}{2} r_0\omega^2(m_a+m_b)$ $(\sin\omega t - \cos\omega t)$	$\dfrac{\sqrt{2}}{2} r_0\omega^2(m_a+m_b)$ $(\cos\omega t + \sin\omega t)$	0	0
			峰值	$r_0\omega^2(m_a+m_b)$	$r_0\omega^2(m_a+m_b)$	0	0
		二谐	通式	$-\sqrt{2} r_0\omega^2 \lambda m_b$ $\cos2\omega t$	0	0	0
			峰值	$\sqrt{2} r_0\omega^2 \lambda m_b$	0	0	0

续表 B.2.5

形式	计算简图		水平扰力 P_{xk}	竖向扰力 P_{zk}	扭转力矩 $M_{\psi k}$	回转力矩 $M_{\theta k}$
单W形		一谐 通式	$r_0\omega^2(m_a+1.5m_b)\sin\omega t$	$r_0\omega^2(m_a+1.5m_b)\cos\omega t$	0	0
		峰值	$r_0\omega^2(m_a+1.5m_b)$	$r_0\omega^2(m_a+1.5m_b)$	0	0
		二谐 通式	$1.5r_0\omega^2\lambda m_b\sin 2\omega t$	$0.5r_0\omega^2\lambda m_b\cos 2\omega t$	0	0
		峰值	$1.5r_0\omega^2\lambda m_b$	$0.5r_0\omega^2\lambda m_b$	0	0
单L形		一谐 通式	$r_0\omega^2(m_a+m_b)\sin\omega t$	$r_0\omega^2(m_a+m_b)\cos\omega t$	0	0
		峰值	$r_0\omega^2(m_a+m_b)$	$r_0\omega^2(m_a+m_b)$	0	0
		二谐 通式	$-r_0\omega^2\lambda m_b\cos 2\omega t$	$r_0\omega^2\lambda m_b\cos 2\omega t$	0	0
		峰值	$r_0\omega^2\lambda m_b$	$r_0\omega^2\lambda m_b$	0	0

注:1 单列卧式机器的计算公式从略,其结果是将立式机器的水平扰力改为竖向扰力,立式机器的竖向扰力改为水平扰力;
2 本表公式中 C 点为机器主轴上各汽缸布置的中心,距离 c 指两汽缸之间的距离,表中结构比 $\lambda=\dfrac{r_0}{l}$。

附录 C 基础质量与机器质量比

表 C 基础质量与机器质量比

序号	机器种类	转速、功率、表压	质量比	机器质量取值
1	电动机	300r/min～500r/min	1.25	电机质量
		750r/min～1000r/min	2.00	
		1250r/min～1500r/min	3.00	
2	减速机	大于 75kW	2.00	设备质量
		小于 75kW	1.20	
3	离心式通风机	小于或等于 500r/min	1.25	通风机质量
		750r/min～1000r/min	1.60	
		1250r/min～1500r/min	2.40	
4	离心式泵	300r/min～500r/min	1.25	设备及物料总质量
		750r/min～1000r/min	2.00	
		1250r/min～1500r/min	3.00	
5	鼓风机	表压大于 0.2MPa	3.00	机器质量
		0.1MPa～0.2MPa	2.00	
		表压小于 0.1MPa	1.50	
6	圆盘给矿机		1.30	设备及物料总质量
7	圆筒混合机		2.50	
8	活塞式压缩机		5.00	机器质量
9	球磨机		3.50	设备及物料总质量
10	破碎机	颚式破碎机	5.00	
		旋回、圆锥破碎机	4.50	
		锤式、反击式破碎机	4.00	

续表 C

序号	机器种类	转速、功率、表压	质量比	机器质量取值
10	破碎机	立轴冲击破碎机	3.00	设备及物料总质量
		对辊破碎机	3.00	
11		斗式提升机	1.4	机器质量
12		浮选机	1.3	设备及物料总质量
13		过滤机	1.5	

附录 D 常用隔振器的动力性能参数计算

D.1 圆柱螺旋弹簧隔振器

D.1.1 单个圆柱螺旋弹簧隔振器的动力参数应按下列公式计算：

$$P_j = \frac{\pi d_1^2 [\tau]}{8kc_1} \quad \text{(D.1.1-1)}$$

$$k_{zj} = \frac{Gd_1}{8n_1 c_1^3} \quad \text{(D.1.1-2)}$$

$$k = \frac{4c_1 - 1}{4c_1 - 4} + \frac{0.615}{c_1} \quad \text{(D.1.1-3)}$$

$$k_{xj} = \frac{1 - \zeta_p}{0.384 + 0.295 \left(\frac{H_p}{D_1}\right)^2} k_{zj} \quad \text{(D.1.1-4)}$$

$$\zeta_p = 0.77 \frac{\Delta_1}{H_p} \left[\sqrt{1 + 4.29 \left(\frac{D_1}{H_p}\right)^2} - 1\right]^{-1} \quad \text{(D.1.1-5)}$$

$$\Delta_1 = \frac{P_z}{k_{zj}} \quad \text{(D.1.1-6)}$$

$$H_p = H_0 - \Delta_1 - d_1 \quad \text{(D.1.1-7)}$$

$$c_1 = \frac{D_1}{d_1} \quad \text{(D.1.1-8)}$$

式中：P_j——圆柱螺旋弹簧的承载力(N)；

P_z——圆柱螺旋弹簧的工作荷载(N)；

k_{zj}——圆柱螺旋弹簧的轴向刚度(N/m)；

k_{xj}——圆柱螺旋弹簧的横向刚度(N/m)；

G——圆柱螺旋弹簧的剪切模量(N/m²)；

$[\tau]$——圆柱螺旋弹簧线材的容许剪应力(N/m²)；

d_1——圆柱螺旋弹簧的线径(m)；

D_1——圆柱螺旋弹簧的中径(m);

c_1——圆柱螺旋弹簧的中径与线径的比值;

n_1——圆柱螺旋弹簧的有效圈数,可取弹簧自然圈数减2;

k——圆柱螺旋弹簧的曲度系数;

ζ_p——圆柱螺旋弹簧的横向刚度与临界荷载之比;

H_p——圆柱螺旋弹簧在工作荷载作用下的有效高度(m);

H_0——圆柱螺旋弹簧的自由高度(m);

Δ_1——圆柱螺旋弹簧在工作荷载作用下的变形量(m)。

D.1.2 圆柱螺旋弹簧的一阶颤振固有频率应大于扰力圆频率的2倍,一阶颤振固有频率应符合下列规定:

1 压缩弹簧应按下式计算:

$$f = 356 \frac{d_1}{n_1 D_1^2} \quad (Hz) \qquad (D.1.2-1)$$

2 拉伸弹簧应按下式计算:

$$f = 178 \frac{d_1}{n_1 D_1^2} \quad (Hz) \qquad (D.1.2-2)$$

D.1.3 圆柱弹簧隔振器性能参数的确定应符合下列规定:

1 圆柱螺旋弹簧隔振器的总承载力可取单个弹簧承载力之和,其承载力可按静荷载计算;

2 圆柱螺旋弹簧隔振器的总竖向动刚度、总横向动刚度可取单个弹簧动刚度之和,并应按下列公式计算:

$$K_{zj} = \sum k_{zj} \qquad (D.1.3-1)$$

$$K_{xj} = \sum k_{xj} \qquad (D.1.3-2)$$

式中:K_{zj}、K_{xj}——圆柱螺旋弹簧隔振器总竖向动刚度、总横向动刚度(N/m)。

3 圆柱螺旋弹簧隔振器的变形量和工作高度应按下列公式计算:

$$\Delta = \frac{P_1 - P_0}{K_{zs}} \qquad (D.1.3-3)$$

$$H_1 = H_c - \Delta \quad (\text{D}1.3\text{-}4)$$

式中：Δ——圆柱弹簧隔振器的变形量(m)；

P_1——圆柱螺旋弹簧的工作荷载(N)；

P_0——圆柱螺旋弹簧隔振器的预压或预拉荷载(N)；

K_{zs}——圆柱螺旋弹簧隔振器的轴向静刚度(N/m)，可取每个圆柱螺旋弹簧轴向刚度之和；

H_1——圆柱螺旋弹簧隔振器的工作高度(m)；

H_c——圆柱螺旋弹簧隔振器的初始高度(m)。

D.1.4 圆柱螺旋弹簧隔振器的弹簧配置和组装(图 D.1.4)应符合下列规定：

1 隔振器应采用统一规格的弹簧或同一匹配的弹簧组，弹簧组内圈与外圈弹簧的旋向应相反，弹簧之间的间隙不宜小于外圈弹簧内径的 5%，其参数匹配应符合下式要求：

$$\frac{d_1 c_1^2 n_1 [\tau_1]}{G_1 k_1} = \frac{d_2 c_2^2 n_2 [\tau_2]}{G_2 k_2} \quad (\text{D}1.4)$$

式中：d_1、d_2——弹簧组外、内圈圆柱螺旋弹簧的线径(m)；

c_1、c_2——弹簧组外、内圈螺旋弹簧的中径与线径的比值；

n_1、n_2——弹簧组外、内圈圆柱螺旋弹簧的有效圈数；

k_1、k_2——弹簧组外、内圈圆柱螺旋弹簧的曲度系数；

G_1、G_2——弹簧组外、内圈圆柱螺旋弹簧的剪切模量(N/m²)；

$[\tau_1]$、$[\tau_2]$——弹簧组外、内圈圆柱螺旋弹簧线材的容许剪应力(N/m²)。

2 圆柱螺旋弹簧的外圈弹簧的横向刚度不宜小于其轴向刚度的 1/2，内圈弹簧的工作负荷与允许的承载力之比不应大于 1，当大于 1 时，应设置导向杆或调整弹簧参数。

3 圆柱螺旋弹簧隔振器宜设置外壳，也可只设置上下盖板，外壳或上下盖板与隔振台座、上下部支承结构应用螺栓连接，弹簧与外壳或上下盖板间应用定位挡圈固定位置。上下外壳间的连接螺栓应在台座与设备安装完毕后松开或卸除。隔振器下部应垫

5mm～10mm 肖式硬度为 40 度～50 度的橡胶板。

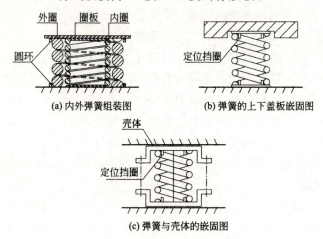

图 D.1.4 弹簧的配置与组装示意图

4 压缩圆柱螺旋弹簧的两端应磨平并紧，在容许荷载作用下，圆柱螺旋弹簧的节间间隙不宜小于弹簧线径的 10％和最大变形量的 2％。

5 圆柱螺旋弹簧两端的支承板应设置定位挡圈或挡板，其高度不宜小于弹簧的线径。

6 圆柱螺旋弹簧隔振器组装时，应对圆柱螺旋弹簧施加预应力预紧，当预应力超过工作荷载时，其预紧螺栓在隔振器安装后应放松。

7 螺旋弹簧隔振器应设保护外壳和高度调节、调平装置，支承式隔振器的上下支承面应平整，其平行度不宜大于 3mm/m，并宜设置柔性材料制作的垫片。

8 圆柱螺旋弹簧隔振器的金属零部件应做防锈、防腐等表面处理。

D.2 橡胶隔振器

D.2.1 单个压缩型橡胶隔振器的动力性能参数可按下列公式

计算：

$$S = \frac{P_z}{[\sigma]} \quad \text{(D.2.1-1)}$$

$$k_{zst} = \frac{E_{st}S}{H_z} \quad \text{(D.2.1-2)}$$

$$k_{zd} = \frac{E_d S}{H_{zo}} \quad \text{(D.2.1-3)}$$

$$k_{xst} = \frac{G_{st}S}{H_z} \quad \text{(D.2.1-4)}$$

$$k_{xd} = \frac{G_d S}{H_{zo}} \quad \text{(D.2.1-5)}$$

$$H_{zo} = H_z - \frac{D}{8} \quad \text{(D.2.1-6)}$$

$$\Delta = \frac{P_z}{k_{zst}} \quad \text{(D.2.1-7)}$$

式中：S——橡胶隔振器的截面积（m^2）；

P_z——橡胶隔振器承受的竖向荷载（N）；

$[\sigma]$——橡胶隔振器容许应力，应按本规范表 4.4.3-1 的数值采用（N/m^2）；

E_d——橡胶的动弹性模量（图 D.2.1）（N/m^2）；

E_{st}——橡胶的静弹性模量（图 D.2.1）（N/m^2）；

G_d——橡胶的动剪切模量，可按橡胶的动弹性模量的 1/3 取值（N/m^2）；

G_{st}——橡胶的静剪切模量，可按橡胶的静弹性模量的 1/3 取值（N/m^2）；

H_{zo}——橡胶隔振器的有效高度（m）；

H_z——橡胶隔振器的总高度（m）；

D——圆形橡胶隔振器的直径，不宜小于橡胶隔振器的有效高度，且不宜大于橡胶隔振器有效高度的 1.5 倍（m）；

k_{zd}——压缩型橡胶隔振器的竖向动刚度（N/m）；

k_{zst}——压缩型橡胶隔振器的竖向静刚度(N/m);
k_{xd}——压缩型橡胶隔振器的横向动刚度(N/m);
k_{xst}——压缩型橡胶隔振器的横向静刚度(N/m);
Δ——隔振器的竖向静变位,应满足本规范第 4.4.3 条第 4 款的要求(m)。

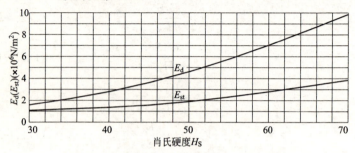

图 D.2.1 橡胶硬度与动、静弹性模量的关系曲线

D.2.2 串联式压缩型橡胶隔振器(图 D.2.2)的几何形状及动力性能参数宜符合下列规定：

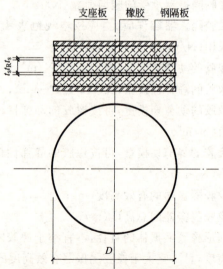

图 D.2.2 串联式压缩型橡胶隔振器

1 串联式压缩型橡胶隔振器的橡胶宜由天然橡胶或氯丁二烯橡胶制造，钢板材质宜用 Q235B 级钢，其厚度应以能满足约束橡胶横向变形、提高竖向刚度及抗压强度的要求为原则，并不宜小于 5mm，钢板与橡胶的叠合宜采用通过粘结剂置于高温、高压硫化成型。隔振器的橡胶层数 n 不宜少于 3 层，其形状系数 S_1、S_2 宜符合下列公式要求：

$$S_1 = \frac{D}{4t_R} \geqslant 3 \tag{D.2.2-1}$$

$$S_2 = \frac{D}{nt_R} \geqslant 4 \tag{D.2.2-2}$$

式中：S_1——串联式压缩型橡胶隔振器的第一形状系数；
S_2——串联式压缩型橡胶隔振器的第二形状系数；
D——串联式压缩型橡胶隔振器的直径(m)；
t_R——单层橡胶的厚度(m)；
n——组成串联式压缩型橡胶隔振器的橡胶的层数。

2 串联式压缩型橡胶隔振器的抗压强度可按下列公式计算：

$$\sigma = \frac{4P_z}{\pi D^2} \leqslant [\sigma] \tag{D.2.2-3}$$

$$\sigma \geqslant 0 \tag{D.2.2-4}$$

式中：σ——串联式压缩型橡胶隔振器的平均压应力(N/m^2)；
P_z——串联式压缩型橡胶隔振器所承受的竖向荷载(N)；
$[\sigma]$——串联式压缩型橡胶隔振器的容许压应力(N/m^2)，可取 $5\times10^6 N/m^2$。

3 串联式压缩型橡胶隔振器的水平刚度可按下列公式计算：

$$k_x = \frac{\pi \sigma^2}{2q'k'_r \tan(2q't_{RS}/S_2) - 4t_{RS}\sigma/S_2} D \tag{D.2.2-5}$$

$$q' = \sqrt{\frac{\sigma}{k'_r}\left(1 + \frac{\sigma}{k'_s}\right)} \tag{D.2.2-6}$$

$$t_{RS} = \frac{t_R + t_S}{t_R} \tag{D.2.2-7}$$

$$E_{rb} = \frac{E_r E_b}{E_r + E_b} \quad \text{(D.2.2-8)}$$

$$E_r = 3G_d(1 + \frac{2}{3}\kappa S_1^2) \quad \text{(D.2.2-9)}$$

$$k'_r = E_{rb} t_{RS} \quad \text{(D.2.2-10)}$$

$$k'_s = G_d t_{RS} \quad \text{(D.2.2-11)}$$

式中：k_x——串联式压缩型橡胶隔振器的水平刚度（N/m）；

G_d——橡胶的动剪切模量（N/m²），可按橡胶动弹性模量的 1/3 取值；

E_b——橡胶材料体积弹性常数，可取 2000×10^6（N/m²）；

κ——橡胶材料的修正系数，可按表 D.2.2 取值；

t_S——钢隔板的厚度（m）。

4 串联式压缩型橡胶隔振器的竖向刚度可按下列公式计算：

$$k_z = \frac{\pi}{4} DE_{cb} S_2 \quad \text{(D.2.2-12)}$$

$$E_{cb} = \frac{E_c E_b}{E_c + E_b} \quad \text{(D.2.2-13)}$$

$$E_c = 3G_d(1 + 2\kappa S_1^2) \quad \text{(D.2.2-14)}$$

式中：k_z——串联式压缩型橡胶隔振器的竖向刚度（N/m）。

表 D.2.2 橡胶材料的肖式硬度与修正系数

肖式硬度	修正系数 κ
30	0.93
35	0.89
40	0.85
45	0.80
50	0.73
55	0.64
60	0.57

D.2.3 剪切型橡胶隔振器的刚度可按下列规定计算：

1 一般剪切型橡胶隔振器(图 D.2.3-1)的静刚度可按下列公式计算：

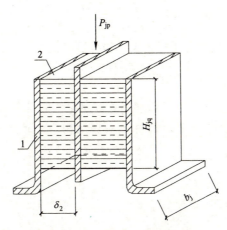

图 D.2.3-1 一般剪切型橡胶隔振器
1—钢板；2—橡胶

$$K_{st} = \frac{2G_j H_{jq} b_j}{\delta_2} \quad (D.2.3-1)$$

$$G_j = \frac{1}{3} E_{st} \quad (D.2.3-2)$$

式中：K_{st}——隔振器的静刚度(N/m)；
　　　δ_2——橡胶厚度(m)；
　　　H_{jq}——橡胶剪切面的高度(m)；
　　　b_j——橡胶剪切面的宽度(m)；
　　　G_j——橡胶的静剪切模量(N/m²)。

2 衬套结构的剪切型橡胶隔振器(图 D.2.3-2)的静刚度可按下列公式计算：

　　1)衬套高度不变的隔振器应按下式计算：

$$K_{st} = \frac{2\pi H_{ct1} G_j}{\ln(r_2/r_1)} \qquad (D.2.3-3)$$

2）衬套高度随半径线性改变的隔振器应按下式计算：

$$K_{st} = \frac{2\pi (H_{ct2} r_2 - H_{ct3} r_1) G_j}{(r_2 - r_1)\ln(H_{ct2} r_2 / H_{ct3} r_1)} \qquad (D.2.3-4)$$

3）剪切应力与半径无关的隔振器应按下式计算：

$$K_{st} = \frac{2\pi H_{ct3} r_2 G_j}{r_2 - r_1} \qquad (D.2.3-5)$$

式中：H_{ct1}、H_{ct2}、H_{ct3}——剪切型橡胶隔振器的衬套高度（m）；

r_1、r_2——圆柱形衬套结构中心轴线至内、外层衬套内壁的距离（m）。

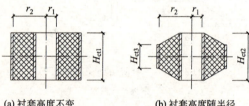

(a) 衬套高度不变　　(b) 衬套高度随半径线性改变

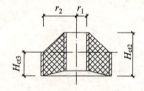

(c) 剪切应力与半径无关

图 D.2.3-2　衬套结构的剪切型橡胶隔振器

3　橡胶隔振器的动刚度可取静刚度乘以系数 $\frac{E_d}{E_{st}}$。

附录 E 地脚螺栓

E.0.1 地脚螺栓宜为设备自带,设备制造厂家应提供地脚螺栓的布置、形式、直径、性能等级、长度、埋入深度、伸出一次浇灌混凝土顶面的长度及螺纹长度和各部件材质,也可由设备专业根据设备要求按相关标准确定。

E.0.2 当设备制造厂家不提供地脚螺栓时,地脚螺栓宜采用Q235B级钢制作;地脚螺栓应做到标准化、定型化。

E.0.3 当采用Q235B级钢制作的一次性埋入式地脚螺栓,基础混凝土强度等级大于或等于C20时,其埋置深度可按表E.0.3采用。

表 E.0.3 地脚螺栓的常用直径及埋置深度

地脚螺栓形式		地脚螺栓的常用直径(mm)	埋置深度(mm)	备注
固定螺栓	弯钩螺栓	10~48	(20~25)d	车床基础常用
	直钩螺栓	16~56	(20~25)d	常用螺栓
	U形螺栓	≤36	20d	梁板上多用
	爪式螺栓	30~76	(15~20)d	不常用
	锚板螺栓	≥30	(15~20)d	常用螺栓
	直杆螺栓	—	(10~15)d	环氧砂浆锚固螺栓
可拆卸螺栓		≥24	≥15d	特殊需要时采用

注:1 埋置深度由基础表面算起,当有调整孔时,可由调整孔底部算起;
  2 d 为螺栓直径;
  3 螺栓最小埋置深度不得小于300mm;
  4 当设备动力作用较大或螺栓处于油侵蚀、高温烘烤等部位及设置调整孔时,埋置深度应取较大值,当设备动力作用较小,埋置深度应取较小值;
  5 如有实践经验或通过计算,表中埋置深度可调整。

E.0.4 地脚螺栓的类别和常用形式应符合下列规定：

1 固定螺栓宜采用弯钩螺栓、直钩螺栓、U形螺栓、直杆螺栓、爪式螺栓、锚板螺栓等(图 E.0.4-1)；

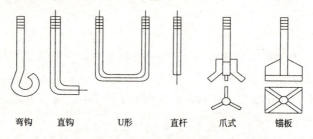

弯钩　　直钩　　U形　　直杆　　爪式　　锚板

图 E.0.4-1　固定螺栓的常用形式

2 可拆卸螺栓宜采用T形头螺栓、拧入式螺栓、对拧螺栓等(图 E.0.4-2)，可根据不同需要进行选择。

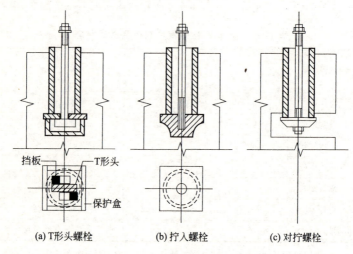

(a) T形头螺栓　　(b) 拧入螺栓　　(c) 对拧螺栓

图 E.0.4-2　可拆卸螺栓的常用形式

E.0.5 地脚螺栓的锚固方法可根据不同需要进行选择，应符合下列规定：

1 当为一次埋入时，浇灌基础混凝土前，宜采用螺栓固定架或定位板将地脚螺栓就位、固定，然后浇灌混凝土；

2 当为预留孔时,浇灌基础混凝土前,宜预先留出孔洞,然后再放入螺栓,宜用灌浆料、无收缩细石混凝土或细石混凝土灌入孔内固定;

3 当为钻孔锚固时,应在基础混凝土达到强度后再放线,应按螺栓直径和埋设深度要求钻孔,并应插入直杆螺栓,宜用环氧砂浆或其他胶结材料注入孔中,应经养护期后再安装设备。

E.0.6 地脚螺栓的型式应按其受力特点、直径大小、使用部位、埋置深度,施工方法等因素进行选择,并应符合下列规定:

1 对设备基础的螺栓有安装要求时,可采用可拆卸螺栓、锚板螺栓或直钩螺栓;

2 有动力作用的设备,可采用可拆卸螺栓、锚板螺栓、直钩螺栓,也可采用爪式螺栓;

3 辅助设备及其传动设备以及不受动力的设备螺栓,可采用直钩螺栓或弯钩螺栓;

4 当地脚螺栓间距小于 200mm 且对称布置时,可采用 U 形螺栓;

5 当基础高度不取决于地脚螺栓的埋设深度时,可采用弯钩或直钩螺栓;

6 当基础高度或顶板厚度由螺栓埋设深度控制时,应采用对拧螺栓、爪式螺栓、锚板螺栓。

E.0.7 当直径 d 小于或等于 56mm 时可设置方形或圆形调整孔,受冲击荷载的螺栓不宜留调整孔。螺栓调整孔尺寸(图 E.0.7)宜按表 E.0.7 采用。

表 E.0.7 螺栓调整孔尺寸(mm)

地脚螺栓直径	方形调整孔尺寸(长×宽×深)	圆形调整孔尺寸(直径×深)
16~24	100×100×200	ϕ100×200
30~42	130×130×300	ϕ130×300
48~56	150×150×400	ϕ150×400

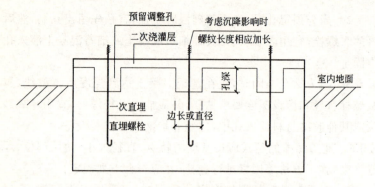

图 E.0.7 地脚螺栓调整孔示意图

E.0.8 当因基础沉降需进行设备标高二次调整时,可将地脚螺栓顶面标高提高 10mm～30mm,并应加长螺栓和螺纹长度。

E.0.9 地脚螺栓的规格尺寸应符合下列规定:

    1 弯钩地脚螺栓的规格尺寸(图 E.0.9-1)应符合表 E.0.9-1 的规定。

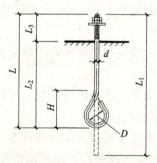

图 E.0.9-1 弯钩地脚螺栓

表 E.0.9-1 弯钩地脚螺栓的规格尺寸(mm)

螺栓直径 d	弯钩处直径 D	弯钩处高度 H	展开长度 L_1	埋设深度 L_2
10	15	65	$L+53$	250～300
12	20	82	$L+72$	250～300
16	20	93	$L+72$	320～400
20	30	127	$L+110$	400～500

续表 E.0.9-1

螺栓直径 d	弯钩处直径 D	弯钩处高度 H	展开长度 L_1	埋设深度 L_2
24	30	139	$L+110$	480~600
30	45	192	$L+165$	600~750
36	60	244	$L+217$	720~900
42	60	261	$L+217$	840~1050
48	70	302	$L+255$	960~1200

2 直钩地脚螺栓的规格尺寸(图 E.0.9-2)应符合表 E.0.9-2 的规定。

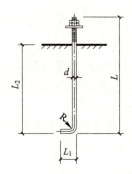

图 E.0.9-2 直钩地脚螺栓

表 E.0.9-2 直钩地脚螺栓的规格尺寸(mm)

螺栓直径 d	弯折处半径 R	弯折长度 L_1	埋设深度 L_2
16	12	65	320~400
20	15	80	400~500
24	20	100	480~600
30	25	120	600~750
36	30	150	720~900
42	35	170	840~1050
48	40	190	960~1200
56	45	220	1120~1400

3 爪式地脚螺栓(图 E.0.9-3)应在螺栓杆下端按下列规定焊上 3 根~8 根弯折的短钢筋而成爪型:

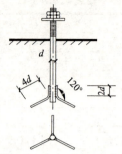

图 E.0.9-3　爪式地脚螺栓

1) 爪肢沿螺杆周长均匀布置。当爪数超过 4 肢时,可分上、下两层错开排列。
2) 爪肢截面积总和应大于螺杆截面积的 2/3。
3) 爪肢长宜为 $6d$,其中伸出段宜为 $4d$,焊接段宜为 $2d$,宜弯成 120°角。

4　锚板地脚螺栓的规格尺寸(图 E.0.9-4)应符合表 E.0.9-3 的规定;

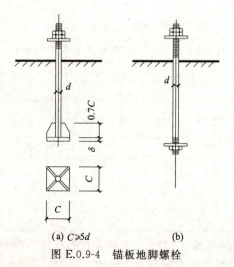

(a) $C \geqslant 5d$　　　　(b)

图 E.0.9-4　锚板地脚螺栓

表 E.0.9-3 锚板地脚螺栓的锚板厚度

螺栓直径 d	锚板厚度 δ(mm)
30	20
36	20
42	20
48	25
56	25
64	30
76	30
90	40
100	40

5 对拧地脚螺栓的规格尺寸(图 E.0.9-5～图 E.0.9-7)应符合表 E.0.9-4～表 E.0.9-6 的规定。

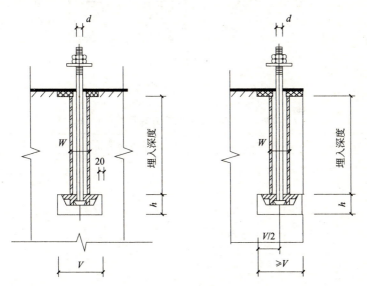

图 E.0.9-5 对拧地脚螺栓基础孔尺寸

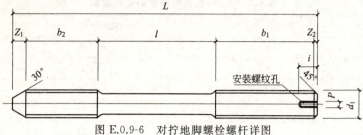

图 E.0.9-6 对拧地脚螺栓螺杆详图

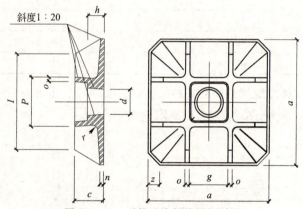

图 E.0.9-7 对拧地脚螺栓锚板详图

表 E.0.9-4 对拧地脚螺栓底基础留孔尺寸(mm)

螺栓直径 d	套管外径 W	缺口高度 h	缺口深度 V	锚板尺寸
42	120	350	310	270×270
48	130	400	350	300×300
56	140	450	380	330×330
64	150	500	420	370×370
72	170	550	460	410×410
76	180	600	520	450×450
90	200	650	570	500×500
100	220	700	620	550×550

表 E.0.9-5　对拧地脚螺栓螺杆尺寸(mm)

螺纹外径尺寸 d	螺纹长度 b_2	锥头 Z_1	锥尾 Z_2	安装螺栓 P	安装螺纹孔深 i
42	165	25	5	M12	22
48	185	28	5	M12	22
56	205	32	6	M16	26
64	225	36	8	M16	26
72	250	40	8	M16	26
76	275	45	8	M20	26
90	300	50	10	M20	33
100	330	55	10	M20	33

注：l 和 L 值由工程情况确定。

表 E.0.9-6　对拧地脚螺栓锚板尺寸(mm)

螺纹外径	锚板尺寸	c	d	g	h	I	m	n	o	p	r	r_1	z
42	270×270	68	48	95	38	205	26	13	11	120	15	8	36
48	300×300	75	54	105	42	225	28	14	12	132	15	8	38
56	330×330	82	62	115	46	250	32	16	13	144	15	8	40
64	370×370	90	70	125	52	280	36	18	14	158	15	8	42
72	410×410	100	80	135	56	310	40	20	15	170	15	8	44
76	450×450	110	90	145	62	340	45	22	16	182	20	10	46
90	500×500	120	100	160	68	380	50	25	18	202	20	10	48
100	550×550	135	110	182	76	415	68	30	20	228	20	10	50

注：1　锚板材料采用铸钢制作，螺栓杆材料采用 Q235B 级，最小布氏硬度 $1050N/mm^2$；
　　2　锚板应表面平整以便焊接，锚板尺寸允许公差±2，螺栓杆尺寸允许公差±3%；
　　3　螺栓杆制作加工级别宜为粗级，安装用的螺纹孔系指螺杆自重超过 10kg 所特设。

E.0.10　螺栓预留孔尺寸应按设备专业或设备厂家提供的尺寸预留，若未提供尺寸，可按表 E.0.10 中尺寸预留。

表 E.0.10 螺栓预留孔参考尺寸(mm)

螺栓直径 D	预留方孔尺寸 $a \times a$	预留圆孔直径 d	预留孔深 h
10	50×50	50	300
12	60×60	60	350
14	70×70	70	400
16	80×80	80	450
18	90×90	90	500
20	100×100	100	550
22	110×110	110	600
24	120×120	120	650
27	140×140	140	725
30	150×150	150	800
36	180×180	180	950
42	210×210	210	1100
48	240×240	240	1250

E.0.11 环氧砂浆锚固地脚螺栓的构造应符合下列规定：

1 地脚螺栓应采用光面直杆形式，埋设深度宜为螺栓直径的 10 倍～15 倍。在螺杆直径为 64mm 以上时，螺栓埋入端部可增加锚固作用的处理。

2 钻孔的直径应根据螺栓直径的大小确定（表 E.0.11）。

表 E.0.11 钻孔直径

螺栓直径(mm)	钻孔直径	环氧砂浆平均壁厚(mm)
12～24	24～34	4～5
30～42	42～58	6～8
48～64	64～84	8～10
76～100	96～130	10～15

3 地脚螺栓孔可由风动凿岩机或其他钻孔机成孔,不得采用预留孔。钻孔时混凝土强度等级不应小于C20。螺栓孔应孔壁完整,周围应无裂缝和损伤。

4 当用环氧砂浆锚固地脚螺栓时,螺栓中心线至基础边缘的距离不得小于螺栓直径的 4 倍或 100mm。当不能满足要求时,应采取加固措施。螺栓底端至基础底面的距离不得小于 100mm。

5 在做基础设计时,应使受力钢筋,水、电、通风等管线及其他预埋件和螺栓孔在平面位置和标高上相互避开。钻孔遇到构造钢筋时应允许切断。

6 拧紧力不得超过钢材屈服强度的 60%～70%。

本规范用词说明

1 为便于在执行本规范条文时区别对待,对要求严格程度不同的用词说明如下:
 1)表示很严格,非这样做不可的:
   正面词采用"必须",反面词采用"严禁";
 2)表示严格,在正常情况下均应这样做的:
   正面词采用"应",反面词采用"不应"或"不得";
 3)表示允许稍有选择,在条件许可时首先应这样做的:
   正面词采用"宜",反面词采用"不宜";
 4)表示有选择,在一定条件下可以这样做的,采用"可"。

2 条文中指明应按其他有关标准执行的写法为:"应符合……的规定"或"应按……执行"。

引用标准名录

《建筑地基基础设计规范》GB 50007
《建筑结构荷载规范》GB 50009
《混凝土结构设计规范》GB 50010
《建筑抗震设计规范》GB 50011
《岩土工程勘察规范》GB 50021
《湿陷性黄土地区建筑规范》GB 50025
《动力机器基础设计规范》GB 50040
《工业建筑防腐蚀设计规范》GB 50046
《烟囱设计规范》GB 50051
《钢筋混凝土筒仓设计规范》GB 50077
《构筑物抗震设计规范》GB 50191
《混凝土结构工程施工质量验收规范》GB 50204
《机械设备安装工程施工及验收通用规范》GB 50231
《工业金属管道工程施工规范》GB 50235
《现场设备、工业管道焊接工程施工规范》GB 50236
《地基动力特性测试规范》GB/T 50269
《风机、压缩机、泵安装工程施工及验收规范》GB 50275
《破碎、粉磨设备安装工程施工及验收规范》GB 50276
《立式圆筒形钢制焊接油罐设计规范》GB 50341
《水泥基灌浆材料应用技术规范》GB/T 50448
《隔振设计规范》GB 50463
《钢制储罐地基基础设计规范》GB 50473
《大体积混凝土施工规范》GB 50496
《建筑工程容许振动标准》GB 50868

《电力建设施工技术规范 第3部分:汽轮发电机组》DL 5190.3
《钢筋焊接及验收规程》JGJ 18
《混凝土用水标准》JGJ 63
《建筑桩基技术规范》JGJ 94
《钢筋机械连接技术规程》JGJ 107
《石油化工钢储罐地基充水预压监测规程》SH/T 3123
《石油化工构筑物抗震设计规范》SH/T 3147

中华人民共和国国家标准

有色金属工程设备基础技术规范

GB 51084-2015

条文说明

制 订 说 明

《有色金属工程设备基础技术规范》GB 51084—2015 经住房和城乡建设部 2015 年 2 月 2 日以第 733 号公告批准发布。

本规范制订过程中，编制组进行了广泛的调查研究，总结了我国有色冶金领域几十年基建、施工和使用情况的实践经验；依据现行国家标准《动力机器基础设计规范》GB 50040—96 的基本精神，进行深入分析研究，本着方便设计人员遵守和使用的原则，进行了取舍和修改；本规范的制订参考了国内化工行业、煤炭行业和黑色冶金行业的先进经验，同时参考了国外先进技术法规、技术标准、有关振动基础的出版刊物，吸取了国内工程振动界出版刊物的精华；关于隔振问题，编制组与国内隔振厂家进行了广泛的沟通，吸取了有益的工程经验，参照现行国家标准《隔振设计规范》GB 50463，增加了"隔振设计"一章。

为便于广大设计、施工、科研、学校等单位有关人员在使用本规范时能正确理解和执行条文规定，《有色金属工程设备基础技术规范》编制组按章、节、条顺序编制了本规范的条文说明，对条文规定的目的、依据以及执行中需注意的有关事项进行了说明，还着重对强制性条文的强制性理由作了解释。但是条文说明不具备与规范正文同等的法律效力，仅供使用者作为理解和把握规范规定的参考。

目　　次

1　总　　则 …………………………………………………… (181)
2　术语和符号 ………………………………………………… (182)
　　2.1　术语 ………………………………………………… (182)
　　2.2　符号 ………………………………………………… (182)
3　基本规定 …………………………………………………… (183)
　　3.1　设计原则 …………………………………………… (183)
　　3.2　地基和基础的计算规定 …………………………… (186)
　　3.3　地基动力特征参数 ………………………………… (190)
　　3.4　构造要求 …………………………………………… (193)
4　隔振设计 …………………………………………………… (194)
　　4.1　一般规定 …………………………………………… (194)
　　4.2　隔振体系的设计参数 ……………………………… (195)
　　4.3　隔振计算 …………………………………………… (196)
　　4.4　隔振材料、隔振器与阻尼器 ……………………… (197)
5　破碎机、磨机基础 ………………………………………… (198)
　　5.1　破碎机基础 ………………………………………… (198)
　　5.2　磨机基础 …………………………………………… (200)
　　5.3　其他滚筒类机器基础 ……………………………… (202)
6　提升、选别设备基础 ……………………………………… (203)
　　6.1　提升机基础 ………………………………………… (203)
　　6.2　摇床基础 …………………………………………… (204)
　　6.3　其他机器基础 ……………………………………… (204)
7　往复式机器基础 …………………………………………… (206)
　　7.1　活塞式压缩机基础 ………………………………… (206)
　　7.2　隔膜泵基础 ………………………………………… (208)

· 179 ·

8	旋转式机器基础	(209)
8.1	一般规定	(209)
8.2	低转速电动机基础	(210)
8.3	汽轮发电机组基础	(211)
8.4	透平压缩机组基础	(217)
8.5	构造要求	(220)
9	加工类设备基础	(222)
9.1	一般规定	(222)
9.2	基础布置及形式	(223)
9.3	荷载及其组合	(224)
10	储罐设备基础	(225)
10.1	一般规定	(225)
10.2	筏板式基础	(226)
10.3	筒(柱)承式基础	(227)
10.4	柔性基础	(228)
11	施工、安装、测试与防护	(231)
11.1	岩土与基础施工	(231)
11.2	机器的安装	(232)
11.3	基础的测试	(234)
11.4	基础的防护	(234)
附录 A	简谐荷载作用下基础的振动计算	(236)
附录 B	部分机器的动力荷载计算	(239)
附录 D	常用隔振器的动力性能参数计算	(241)
附录 E	地脚螺栓	(243)

1 总　　则

1.0.1 对于动力机器基础，强调要确保正常生产和环境对振动限值的要求。

1.0.2 本条明确了本规范的适用范围。不包括配置在楼层上的动力设备基础工程，以及有色金属生产过程中各种冶炼炉、窑、烟囱的基础工程。

由于有色金属企业生产工艺流程中，一般较少采用大、中型的冲击类机器，所以本规范内容不包括锻锤及热模锻压力机的基础工程。

1.0.3 设备基础的设计、施工及验收除符合本规范外，尚应符合国家现行有关标准的规定，这些标准包括：《建筑结构可靠度设计统一标准》GB 50068、《建筑地基基础设计规范》GB 50007、《建筑结构荷载设计规范》GB 50009、《混凝土结构设计规范》GB 50010、《建筑抗震设计规范》GB 50011、《工业建筑防腐蚀设计规范》GB 50046及《建筑工程容许振动标准》GB 50868 等。对于设备基础设计中的测试试验内容，还应符合《岩土工程勘察规范》GB 50021、《地基动力特性测试规范》GB/T 50269 中的相关规定。对于设备基础的施工验收还应符合现行国家标准《混凝土结构工程施工质量验收规范》GB 50204 的规定。

2 术语和符号

2.1 术　　语

本节所列术语均按现行国家标准《工程结构设计基本术语标准》GB/T 50083 的规定和本规范的专用名词编写。

2.1.7、2.1.8 基础质量与机器质量比是专指按以往设计经验,将动力机器的质量加大后按静力设计其基础的方法,不同于一般对动力荷载采用的动力系数;地基刚度是沿用了现行国家标准《动力机器基础设计规范》GB 50040—96 中的定义。

2.2 符　　号

本节中采用的符号是按现行国家标准《工程结构设计通用符号标准》GB/T 50132 的规定,并结合本规范的特点,在现行国家标准《动力机器基础规范》GB 50040、《隔振设计规范》GB 50463 及《建筑工程容许振动标准》GB 50868 中常用符号的基础上制订的,需特别指出的是,对振动线位移用符号 d 表示。

3 基本规定

3.1 设计原则

3.1.1 根据工程实践表明,现在已经有一些新型的动力机器,可以直接搁置在基础上,而不需要设置地脚螺栓与基础联结,这种动力机器基础的设计与有联结的情况有所不同,所以在设计资料中增加了对机器安装方式的要求。

3.1.3 只要能充分估计动力机器基础的振动对建筑物基础的影响,可以与厂房结构两者不分开。而本规范第 3.3.14 条就是给出估计这种影响的办法。

另外,对于只需计算基组的水平振动,且机器处于共振前区工作时,将动力机器基础与刚性地面相连,可以增大地基刚度,提高基组的水平固有频率,减小基组的水平振动。

3.1.4 本条采用现行国家标准《建筑结构可靠度设计统一标准》GB 50068 的规定,其中"正常使用"是针对设备基础而言。在本规范规定的设计使用年限内,设备基础(包括地基)应能承受可能出现的各种作用,包括正常操作(运行)状况以及由于操作不当或设备故障引起的异常状况即生产事故状况的各种作用。

3.1.5 传统的动力机器基础设计,常常不将隔振作为优先的设计方案。而近年来很多新型的动力机器,设备本身就带有隔振系统,能减小机器正常运转时的动力荷载和偶然性的动力影响,成为一种发展趋势。所以无论是设备本身,还是动力机器基础的土建设计,都应该优先考虑采用隔振设计来达到经济合理的目的。

本规范强调优先采用隔振设计方案,并在本规范第 4 章中列出相关内容。

3.1.6 设备基础种类繁多,过去不分大小、要求严格程度等条件,一律不允许设置在未经压实的人工填土层上的要求并不合适。本条提出对功率小于50kW、转速低于300r/min的机器基础,只要地基平均静压力小于50kPa,土的堆积龄期符合要求时,也可以设置在未经压实的人工堆积土层上。

3.1.7 由于动力机器振动对桩侧阻力的影响,基础下采用桩基时,最好不采用纯摩擦桩。桩的成桩方法宜选用挤土类桩,但在饱和软土中要防止施工中挤土效应导致降低桩的承载能力等问题。

3.1.8 为防止基组发生过大的偏沉,设计动力机器基础时应力求使基组的质心与基础底面形心(若采用群桩,则指群桩布置中心)位于同一铅垂线上,如果偏心不可避免,则应在规定的偏心范围之内;动力机器基础设计中最基本的要求是"定心"计算,是一条最基本的要求。设计时,只要满足机器底座尺寸的要求,选择合理的基础埋深,认真做好"定心"的计算,使基础底面形心与基组质心之间的偏离符合要求,就能使基础的振动计算简化,并较易满足要求。

3.1.10 有色矿山的破碎机基础建在岩石地基的情况比较普遍,为减少工程量,本条提出动力机器基础设置在整体性较完整的岩石上,可采用锚杆或锚桩基础,此时岩石也成为刚度很大的基础的一部分,所以大块式锚杆或锚桩基础可以不进行动力计算;此时对岩石地基的要求应该符合现行国家标准《建筑地基基础设计规范》GB 50007对硬质岩和完整岩体的规定,岩石的饱和单轴极限抗压强度大于3×10^4kPa。

当动力机器基础落在较好的基岩上,并采用锚杆或锚桩与基岩进行连接时,基岩也成为基础的一部分,此时基础的偏心距离不再进行限制。

3.1.11 对建造在湿陷性黄土、多年冻土、膨胀土、抗震设防区、侵蚀性环境和受60℃以上高温影响的设备基础,设计时应按照现行国家标准《湿陷性黄土地区建筑规范》GB 50025、《冻土地区建筑地基基础设计规范》JG 118、《膨胀土地区建筑技术规范》GB 50112、《建筑抗震设计规范》GB 50011、《工业建筑防腐蚀设计规范》GB 50046、《烟囱设计规范》GB 50051 等标准的规定执行。

3.1.12 对于重要的或对沉降有严格要求的动力基础,设置沉降观测点是十分必要的,其对前期机器设备的安装、调试具有基准作用,在机器投入正常生产运行后,也具有长期检验、校核价值。

3.1.13 本条要求对重要的动力机器基础设计时考虑能改变基组自振频率的可能,一般不会增加设计的复杂及造成浪费,但对今后处理振动问题可带来很大方便。

3.1.15 本条为强制性条文,必须严格执行。设备基础作为有色金属生产的重要设施,和框排架、楼板等厂房结构一样,除应能充分满足生产工艺使用要求外,还应当具备安全可靠的本质特征。按照现行国家标准《工程结构可靠性设计统一标准》GB 50153 中关于明确"工程结构设计使用年限"和"结构安全等级"的规定要求,本条明确指出,设备基础的设计使用年限不应小于所在厂房主体结构和其上部机器的设计使用年限两者的较小值。主要考虑有些有色矿山项目只有十几年的采矿寿命,其中的设备基础使用寿命可以按厂房的使用年限设计。这是为了保证在正常使用年限内,结构具有良好的性能。此外,还从使用中确保安全出发,要求设备基础的安全等级不应低于二级。这一规定对有色金属工程设备基础设计的总体要求是合理的,而对于重要动力供应的汽轮发电基组等,基础的安全等级还应适当提高。如在本规范第 8 章中规定,重要能源供应和确保生产安全的汽轮发电机组基础的安全等级宜为一级。

设计使用年限的规定,使得设备基础在正常使用期限内的耐久性、荷载取值以及合理使用寿命等要求都得到了明确的界定和有效地控制。符合安全可靠、经济适用目标,具有较强的科学性和显著的经济效益和社会效益。

结构安全等级定位"不低于二级"的规定,保证了结构使用期间不允许出现破坏,即便出现也不致危及生命财产等严重后果。项目设计应严格执行本条"使用年限"和"安全等级"的规定。

3.2 地基和基础的计算规定

3.2.1 对所有的设备基础都需要计算基础底面地基的平均静压力,对破碎机基础、磨机基础、储罐基础等,还需计算基础底面边缘处的最大静压力,不允许出现拉力。

3.2.2 动力机器基础的振动值验算属于正常使用极限状态,所以计算振动值时,应采用动力机器正常运转时的动力荷载标准值。计算动力机器基础(构件)的动内力并与静内力组合,属于承载能力极限状态,应采用机器正常运转时产生的动力荷载设计值或其当量荷载。

　　动力荷载的标准值一般应由设备制造厂提供,不能提供时,可按本规范所列的近似方法计算。动力荷载的设计值为标准值乘以动力荷载分项系数和荷载动力系数。其中动力荷载分项系数主要反映荷载的变异情况,而荷载动力系数则反映荷载的动力反应大小及材料疲劳性能的影响等。

3.2.3、3.2.4 计算设备基础底面的静压力时,天然地基要考虑动力机器工作的重要性对地基承载力的折减及动力机器作用下地基土的工作条件的折减两部分影响。而对桩的承载力,则只考虑动力机器工作重要性的折减。

　　计算基础底面地基的平均静压力时,上部荷载包括基础自重和基础上的回填土重、机器、设备自重以及传至基础上其他静荷载的标准值,不包括机器的动力荷载。

　　计算基础底面地基的最大静压力时,上部荷载包括基础自重和基础上的回填土重、机器、设备自重以及传至基础上其他静荷载的标准值,包括由机器的当量荷载作用于基础底面的力矩;对机器基础需要计算边缘最大压力的情况,由各章、节提出补充内容。

3.2.8 一个基础上有多个扰力、扰力矩作用时,在基础顶面控制点产生的总振动线位移、总振动速度、总振动加速度的计算属于简谐振动波形的合成,是一个非常复杂的问题。合成波形的形状、幅值的大小和参与合成的分量波的频率、振幅幅值及相位有关。

(1)对于参与合成的各分量的频率相同时,或者具有同一旋转主轴,在轴上有几个不同运动部件产生不同频率时,考虑机器安装的随机性,都可以当作随机振动问题对待,采用"平方和开平方"的办法。但是,对于只有两个分量参与合成,其合成后的波形仍为简谐波,当两个分量的相位相同时,其合成振幅最大,等于两个分量波的振幅相加。这种情况则应在总体采用"平方和开平方"办法处理。所以在本规范第 3.2.8 条式(3.2.8-1)及式(3.2.8-4)~式(3.2.8-6)中均采用 $d_f = \sqrt{(d_1+d_2)^2 + \sum_{i=3}^{n} d_i^2}$ 的形式。

(2)对于参与合成的各分量的频率不相同时,不是随机问题。合成振幅为各分量振幅直接相加,当然直接相加的结果可能偏大,在计算公式中也很难处理。前苏联 1987 年《动力机器基础设计规范》中采用相应放宽 30% 容许值的办法来处理,这样做的好处是对容许值要求严的,放宽的幅度小,对容许值要求松的,放宽的幅度大,比起直接计算值减少 30% 相对合理。本规范也采用这种办法(正文中没有提及 30% 问题)。

(3)往复式机器正常运转时,产生一谐和二谐扰力,两者频率相差一倍。对于一谐扰力产生的振动合成是频率相同时的合成问题,对于二谐扰力产生的振动合成也是频率相同时的合成问题。而对于一谐扰力和二谐扰力产生的振动合成,则是不同频率时的合成,问题将更加复杂,本规范仍沿用现行国家标准《动力机器基础设计规范》中的办法。

3.2.9 构架式基础计算振动线位移时,考虑对基础刚度、计算简图等多方面的不准确原因,要求取机器工作频率的 0.75 倍~1.25 倍范围内扫频,并取其最大计算值。对于机器工作频率本身可能变动时,扫频范围应取 $0.75f_{低}$ 至 $1.25f_{高}$ 之间。

3.2.10 本条为强制性条文,必须严格执行。本条规定是基于动力机器在生产操作中要确保平稳良好运行。如果出现过大的振动反应,不仅影响机器设备的正常工作、产品的精度控制、动力机器的使用寿命,同时还会危及操作人员的健康,造成环境污染。为此,必须对动力机器基础在正常生产期的振动作出严格的控制,从而保证生产安全、人员健康、环境良好。设计中应对基础的振动位移、振动速度值进行验算或测定,并严格控制在规定范围内。

根据国内外成果和多年工程经验总结,本规范对机器基础的振动容许标准选取了以振动速度做统一表述的形式(振动速度由所对应的振动位移最大值换算而得)。本条注意在内容上总体与现行国家标准《建筑工程容许振动标准》GB 50868 的一致性,仅在容许值取法上作了小的调整,这主要是根据有色金属工程的特点所进行的细化处理,表 3.2.10 中的数值与现行国家标准《建筑工程容许振动标准》GB 50868 的数据基本协调,未出现矛盾之处而影响到实质。如处于旋转类机器,当机器转速 $n \geqslant 3000\text{r/min}$ 时,其容许振动速度取值为 5.0mm/s,即容许振动位移值为 0.02mm;对于往复式机器,当机器转速为 $200\text{r/min} \leqslant n < 400\text{r/min}$ 时,其容许振动速度取值为 6.3mm/s,即容许振动位移值为 0.3mm~0.15mm,均与现行国家标准《建筑工程容许振动标准》GB 50868 相应数据一致或极为接近。此外,如摇床等机器基础是有色金属等原材料类工业所独有的,其容许振动速度取值是充分考虑了本行业特点以及根据工程经验确定的,不便与其他标准做比照。

凡对于未提及的动力机器基础的容许振动值,需按现行国家标准《建筑工程容许振动标准》GB 50868 选取,以确保与相关标准的一致性。

3.2.11 在动力机器附近工作的操作人员的全身振动影响,是指建筑物内及振动机器附近,振动通过生产操作区的操作人员的支撑面传递到整个身体产生的影响,即通过站立人双脚、就座人臀部或斜靠人背部的支撑表面传递到人体的振动产生的影响。适用于生产操作区立姿、坐姿和斜靠的人。

人体在操作区的容许振动标准采用振动加速度(m/s^2)所对

应的振动加速度有效值,而没有采用上述标准给出的"容许振动计权加速度级(dB)",是为了避免再换算。另外,所给的限值是按照能使操作人员注意力转移、工作效率降低的疲劳-工效降低容许标准。对于多个不同频率,在查表 3.2.11-1 和表 3.2.11-2 时,可按各频率中的最小值查表。

3.2.12 本规范的荷载分类方法执行现行国家标准《建筑结构荷载规范》GB 50009 的有关规定,与现行工程结构国家标准体系相协调。而与现行国家标准《动力机器基础设计规范》GB 50040 中的某些规定是不一致的,如温度作用、气缸膨胀力、凝汽器真空吸力等均属可变荷载,而非永久荷载。另外,本规范对各类荷载的作用方向集中作了综合性规定。使用本规范时,需注意这些区别、变化,了解其出处和依据。

3.2.13 机器及其基础在整个生产使用期内,由于生产工艺需求或外部条件影响,会出现正常生产、非正常生产以及事故、地震等不同环境情况。为此,设备基础结构及其构件应分别根据不同设计状况,按承载能力极限状态设计;当确有必要时,尚需按正常使用极限状态设计。

本条分别对结构的持久设计状况、短暂设计状况、偶然设计状况、地震设计状况下,承载能力的基本荷载组合、其他荷载组合作了规定,持久设计状况和偶然设计状况下组合中的设计值仅适用于荷载与荷载效应为线性的情况。

本条也对持久设计状况下,基础结构构件的变形、裂缝验算的荷载标准组合作了规定。这些规定是依据现行国家标准《建筑结构荷载规范》GB 50009 和《动力机器基础设计规范》GB 50040 的有关规定,并结合有色金属工程特点加以制订的。

3.2.15 关于动力计算的简化,是设计中需要解决的问题。根据以往设计经验和习惯,本条提出设计大块式、墙式动力机器基础采用基础质量与机器质量比的条件,并在本规范附录 C 中根据以往设计积累及苏联、欧美国家的资料中的数据,列出基础质量与机器质量比,供设计参考使用。

3.3 地基动力特征参数

3.3.1 关于天然地基的动力性能表述方法,使用"弹性抗压刚度系数"的概念应该更为准确,但是为了与现行国家标准《动力机器基础设计规范》GB 50040 和《地基动力特性测试规范》GB/T 50269的规定相协调,所以沿用了现行国家标准《动力机器基础设计规范》GB 50040 中"抗压刚度系数"的概念。

3.3.2 合理确定天然地基的动力特性参数,对动力机器基础设计至关重要,所以应优先考虑由现场试验确定。对于大型重要的动力机器基础设计时,更应如此,当无条件进行试验并有经验时,可按本节采用。

3.3.3 本条为现行国家标准《动力机器基础设计规范》GB 50040 的内容,是根据我国多年来现场基础块振动试验的大量实测资料统计分析,将地基抗压刚度系数 C_z 与地基承载力特征值及土的类别直接挂钩,做成表格供设计采用,同时又给出基础面积大小的影响系数及当地基为多层土构成时的处理办法,方便设计,且已经过几十年的实践。但是由于所给的表格的适用范围只限于地基土承载力特征值(f_{ak})小于等于 300kPa 时的情况,而且土的类别又未包括碎石类土,所以工程设计中,有时还不够用,需要有一个办法解决。

3.3.4 本条提出的原则按前苏联《动力机器基础设计规范》中根据地基土的变形模量 E_0 计算地基抗压刚度系数 C_z 的办法,来作为对本规范第 3.3.3 条、第 3.3.5 条的补充。但考虑到我国对变形模量 E_0 值一般是由野外荷载试验确定,而荷载试验采用的承压板面积较小,影响深度有限等原因,对前苏联提出的公式进行了修正。

关于土的变形模量,一般可由工程的《岩土工程勘察报告》提供,当报告未提供该数值时,在表 3.3.4 中提供了一般地基土承载力特征值（f_{ak}）大于 300kPa 时的变形模量 E_0 值，供设计选用。表中数值是根据现行国家标准《岩土工程勘察规范》GB 50021 中的规定，土的变形模量根据荷载试验 p-s 曲线的起始直线段，按均质各向同性半无限弹性理论计算求得。

3.3.7～3.3.13 这几条为现行国家标准《动力机器基础设计规范》GB 50040 规定的内容。

为了拟合在现场基础振动试验中实测的振幅-频率曲线上的共振峰点的频率值，在计算中必须将原有基础的质量上附加一定数量的质量，才能获得符合实际的结果，这部分附加质量称为地基土的参振质量。从数以百计的现场基础块振动试验所得的资料表明，参振质量与基组本身质量之比在 0.43～2.9 范围内，到目前为止还没有找到其定量的方法，为了获得较为接近实际的基础固有频率，对天然地基，本规范对地基刚度和质量均不考虑参振质量的因素，因此表 3.3.3 所提供的抗压刚度系数 C_z 值要比实际值偏低 43%～290%（表 3.3.4 也按同样方法处理），这样虽然对计算基础的固有频率没有影响，但使计算基础的振动线位移至少要偏大 43%，为此，本条提出可将竖向振动线位移乘以 0.7 的折减系数，对水平向振动线位移可乘以 0.85 的折减系数，这也是一种简化方法。今后应对地基土的参振质量问题做进一步的研究，使之能作定量的估算。

3.3.14 本条列出振动在土中传播的近似公式，没有考虑土体能量吸收性能，只是为了便于估计独立的动力机器基础间或动力机器基础对建筑物基础的影响。

本规范提供的波的传播公式是苏联《动力机器基础设计规范》中的公式，比现行国家标准《动力机器基础设计规范》GB 50040 中提供的近似公式计算更加简便直接，方便设计人员使用，与现行国家标准《动力机器基础设计规范》GB 50040 中公式比较，当扰力频率在 8Hz 时，在 r/r_0 小于或等于 10 的情况下，误差最大比值在 1.24 以内；在 r/r_0 大于或等于 10，小于或等于 20 的情况下，误差比值在 1.45 以内；在 r/r_0 大于或等于 20 的情况下，误差比值在 2.0 以内。当扰力频率在 20Hz 时，在 r/r_0 小于或等于 10 的情况下，误差比值在 1.54 以内；在 r/r_0 大于或等于 10，小于或等于 20 的情况下，误差比值在 3.6 以内；在 r/r_0 大于或等于 20 的情况下，误差比值在 8 以内。假设基础面积为 $4m \times 6m$，$r_0 = (A/\pi)^{1/2} = 2.76$，当 $\delta = r/r_0 = 10$ 时，$r = 10 \times 2.76 = 27.6(m)$；当 $\delta = r/r_0 = 20$ 时，$r = 20 \times 2.76 = 55.2(m)$，有色行业所考虑的动力机器对周围机器基础或厂房基础的影响距离一般都不超过 20m，所以这种误差可以忽略，当然对于有精密仪器的车间来说，远距离的影响误差就比较大了，因此对于这种情况可考虑使用现行国家标准《动力机器基础设计规范》GB 50040 中的公式。

3.3.15 控制建筑物或构筑物基础处地基的振动速度 $v_r \leqslant 2mm/s$ 是按一般动力机器基础传播的振动影响制订的，不含落锤和锻锤等冲击类机器基础传播的振动影响。

3.3.16 对桩基的基本动力特性参数，更应要求优先考虑由现场试验确定。

3.3.17 桩基的抗压刚度计算公式是将桩当作埋入土中的弹性杆件，桩周表面与土紧密接触，桩周围土层是由无限薄层组成的线弹性体，按照杆件纵向振动理论并适当简化后求得的，较之将桩视为刚体的理论计算更为合理有效。常见的公式有两种形式，本规范采用的式(3.3.17-2)是对桩身弹性刚度 k_p 的修正，比较直观简单，另一种是对桩与桩周土抗剪刚度和桩尖土的抗压刚度之和进行修正，用计算表格配合使用。

这种办法的计算结果与现场实测的刚度比较接近，特别是对于长桩和端承桩，这是因为考虑桩本身刚度修正后，当桩长超过一定值时，桩的抗压刚度不再增加。

3.3.19 关于桩基的抗剪刚度，虽然也有研究表明，可将桩基的抗剪刚度表示为桩本身抗剪刚度与桩基承台下地基土的抗剪刚度并联组成，推导公式的计算结果与实测值相比更为接近，但是还存在一些问题,一个是当在软土中采用桩基,由于长期动力载荷作用地基土脱空,前述并联假定已不存在,另一个是现有的试验对比资料还不多。所以本规范仍采用现行国家标准《动力机器基础设计规范》GB 50040 的办法,笼统地采用桩基的抗剪刚度等于相应天然地基抗剪刚度的 1.4 倍。

另外,基础埋深及刚性地面作用对桩基抗剪、抗扭刚度的提高,也仍按现行国家标准《动力机器基础设计规范》GB 50040 的办法。

3.3.20～3.3.23 关于斜桩的抗剪刚度、桩基的总质量及总转动惯量的计算、桩基的阻尼比以及承台埋深对阻尼比的影响等均与现行国家标准《动力机器基础设计规范》GB 50040 的规定相同。

3.4 构造要求

3.4.8 大块式和墙式基础计算模式为刚体,基础各部分之间基本上没有相对变形,因而一般不必进行强度计算。基础体积大于 40m³ 时配置表面钢筋,目的是防止施工时混凝土水化热形成内外温差导致温度裂缝,基础表面钢筋要求细而密,以利于阻止裂缝的扩展,体积为 20m³～40m³ 时,基础顶面配筋是为了防止设备安装、检修时混凝土表面遭受撞击损坏。

底板悬臂部分有局部变形,配筋按强度计算确定,顶板如为梁板结构,也应按强度计算配筋。

3.4.11 有色金属工程中的一般动力机器基础长度都不会超过现行国家标准《混凝土结构设计规范》GB 50010 中关于伸缩缝的最大间距的规定,即便超长也不宜设置温度缝,因设缝后会产生许多意想不到的问题,如缝两侧的结构刚度不对称造成振幅不相等,因基础变形不同步造成机器运转不正常等情况;当基础长度超出现行国家标准《混凝土结构设计规范》GB 50010 中关于伸缩缝的最大间距时,可以采取构造措施将基础做成整体基础。

4 隔振设计

4.1 一般规定

4.1.1 本条规定了本章的适用范围。根据本规范总则的要求,本章主要对搁置在地面上的机器的主动隔振设计提出规定和要求,对于被动隔振,除了振源是由地面传来的振动外,其他要求均与主动隔振相同。

4.1.2 本条规定了隔振基础设计时所需要的资料。

4.1.3 本条对隔振体系的设计作出规定。

1 对于搁置于地面的旋转式机器的隔振方式一般采用支承式。当被隔振的机器质量较小时,一般要在底部设置刚性台座。如果被隔振对象本身质量足够大,且底部面积能设置所需的隔振器时,也可不设刚性台座。

3 隔振器选用圆柱螺旋弹簧隔振器、橡胶隔振器是针对旋转式机器的动力特性提出的要求,其他隔振器,如空气弹簧隔振器其刚度较低、阻尼值较高,主要用于精密仪器设备的隔振;蝶形弹簧与迭板弹簧隔振器则主要用于承受冲击荷载设备的隔振,不适用于本规范涉及的机器隔振。

5 这是对隔振设计的基本要求,否则难以达到较好的隔振效果。

6 弹簧隔振器布置在梁上时,弹簧压缩量宜大于支承梁挠度的 10 倍,这主要是为了避免耦合振动,在进行弹簧隔振体系动力分析时可不考虑梁的挠度。

7、8 规定要求隔振器的刚度中心与隔振体系的质量中心宜在同一竖直线上,当难于满足这一要求时,其偏离不应大于所对应边长的 3%,是为了使竖向振动和水平扭转振动解除耦合关系。

规定要求缩短隔振体系的质心与隔振器水平反力作用线之间的距离,当该距离不超过平行于扰力方向的基础底边长的15％时,又可以使水平振动和水平回转振动解除耦合。从而使隔振器在六个方向均可按单自由度计算。这是本规范对隔振体系设计的基本要求。

4.1.4 本条为强制性条文,工程设计中必须严格执行本条规定。隔振体系控制点的总振动值应满足容许振动值,是隔振设计的基本要求,隔振设计的根本目的是减少扰力对隔振体系下部基础及周边环境的影响。对控制点的控制要求与其他机器基础的要求是相同的,它既可保证机器设备满足安全生产,又减少了对操作人员健康的影响,更避免了对环境造成污染,使工程设计经济、合理、安全、有效。

4.1.5 本条规定适用于破碎机、风机、泵、电动机类旋转式机器的隔振设计,对于汽轮发电机类旋转类机器则不适用。

4.1.6 本条针对往复式运动类机器的特点,提出一些方案设计的特殊要求。由于电动机的转速是可调的,压缩机在充气与空转之间经常转换,阻尼比不仅要满足开、停机时通过共振的需要,还应保证正常运转时的平稳。因此隔振体系的最小阻尼比要求不仅竖向应当满足,其他隔振方向也应满足。往复式运动类机器的自身价值较高,连接管道多、连接复杂,更换隔振器很困难,采用使用寿命长的优质产品是经济合理的。

4.2 隔振体系的设计参数

本节提出了隔振基础设计时基本参数的选择方法和步骤。选择隔振体系的基本参数时,假定隔振体系为无阻尼单自由度体系。

4.2.1 在隔振设计时,要初步确定隔振体系要求的隔振传递率及容许线位移作为隔振设计的目标,并按此要求计算出隔振体系的固有频率最大值、总动刚度最大值、台座质量的最小值及阻尼比最小值等参数。

4.2.3 本条提出的刚性台座的最小质量计算公式为近似计算公式,刚性台座的最小质量有如下精确计算公式:

$$m_{2\min} \geqslant \frac{P_{zk}\alpha}{[d]\omega^2} - m_1 \qquad (1)$$

$$\alpha = \frac{\alpha_w^2}{1-\alpha_w^2} \qquad (2)$$

$$\alpha_w = \frac{\omega}{\omega_n} \qquad (3)$$

按上述公式计算所得的台座最小质量比本规范提出的公式计算结果小10%左右,考虑到现有文献资料及现行国家标准《隔振设计规范》GB 50463均推荐采用近似计算,且适当增加台座质量有利于其他隔振参数的调整,本规范仍采用了近似计算公式。

4.2.7 主动隔振中,阻尼起到重要作用,特别是在机器启动和停机过程中通过共振区,为了防止出现过大的振动,给出通过共振区时要求的最小阻尼值。按规范计算振动位移计算公式为:

$$d_v = \frac{P_{ov}}{K_v}\eta_v \quad (v=x,y,z) \qquad (4)$$

在共振时 $\eta = \frac{1}{2\xi_v}$,P_{ov} 为工作转速(即圆频率为 ω)时的扰力,当圆频率为 ω_{nv} 时的扰力 $P_v = P_{ov}\left(\frac{\omega_{nv}^2}{\omega^2}\right)$,将 P_v 代入式(4)中的 P_{ov},将 $\frac{1}{2\xi_v}$ 代入式(4)中的 η_v,即得本规范式(4.2.7)。

4.3 隔振计算

4.3.1 本规范的隔振计算为隔振体系在6个方向均按独立的单自由度考虑的简化计算。因此,要求隔振器的刚度中心与隔振体系的质量中心在同一竖直线上,当难于满足这一要求时,其偏离一般在所在边长的3%以内,并同时要求缩短隔振体系的质心与扰力作用线之间的距离,一般在平行于扰力方向的基础底边长度的

15%以内。当难以满足上述要求时,隔振体系需要按双自由度计算。隔振体系的双自由度计算一般按现行国家标准《隔振设计规范》GB 50463 的相关规定进行计算。

4.3.2～4.3.7 这几条提出了隔振体系按单自由度考虑时,隔振体系的总刚度、自振频率、阻尼比、隔振效率、振动线位移的计算方法。

4.3.8 本条提出了机器通过隔振体系传递给下部基础结构的动力荷载,下部基础的结构计算应符合本规范第 3 章的要求。

4.3.9 同第 4.3.1 条的条文说明。

4.4 隔振材料、隔振器与阻尼器

4.4.1 隔振器有圆柱螺旋弹簧隔振器、橡胶隔振器、蝶形弹簧隔振器、空气弹簧隔振器、组合隔振器等。根据本规范总则的要求,本规范仅涉及搁置于地面的旋转类、往复类机器的隔振设计。因此,本规范仅对常用的圆柱螺旋弹簧隔振器、橡胶隔振器、组合隔振器的选用和性能参数提出要求。

4.4.3 在橡胶隔振器的选型中,本条提出了当承受的竖向荷载大,且机器转速在 300r/min～600r/min 时,可采用串联式压缩型橡胶隔振器,这是基于有色系统在圆锥破碎机等低转速矿山设备中多年使用的经验。串联式压缩型橡胶隔振器安装方便、使用寿命长,能达到设备隔振的预期效果,在本规范第 D.2.2 条中专门进行了介绍。

4.4.5 与圆柱螺旋弹簧隔振器组合使用的阻尼器宜选用定型产品中相适应的阻尼器,这是基于目前市场上定型产品种类较多,能够基本满足设计需要,对降低成本,减少能耗都有益处。

5 破碎机、磨机基础

5.1 破碎机基础

5.1.3 在一般情况下,物料破碎后通常用皮带输送机运走,当输送机穿过基础时,一般采用墙式基础;当物料输送机由基础侧面通过时,一般采用大块式基础;大型的颚式破碎机基础,基础狭长中空,也有采用箱式基础(即有纵横墙的墙式基础)的;当破碎机与筛分设备垂直布置且输送机穿过基础,破碎机基础顶面高出室内地面较多,采用墙式基础不利于设备布置并不经济时,一般采用构架式基础。

5.1.4～5.1.6 这几条对墙式基础、构架式基础各构件的尺寸作了规定,这是经过长期调查研究和使用经验的积累结果。构架式基础的布置原则就是对称,质心与形心力求重合,以使受力明确,结构简单。

有色矿山破碎机基础直接坐落在基岩上的情况比较常见,通过锚杆或锚桩将基础与基岩连接起来,对于大块式基础,可以适当减小基底尺寸,并且不必进行动力计算,而对于墙式基础则可以省掉底板,通过锚杆或锚桩直接将墙与基岩连接为整体,使基础变为地基上的刚体振动问题,此时墙的厚度和高厚比可以不受表 5.1.4 规定的限制。如果地基是微风化或未风化的硬质基岩,可以将墙式基础的墙也省掉,将顶板用锚杆或锚桩直接锚置在基岩上,一般不做动力计算。采用锚杆或锚桩基础一般要符合下列条件和要求:

(1)基础为岩石地基,岩石的饱和单轴极限抗压强度大于 3×10^4 kPa,且地质构造影响轻微,节理、裂隙不发育,无黏土质层理夹层,整体性较好的岩石。

(2)岩石的节理、裂隙较发育,但无溶洞、无裂隙水,在采用压力灌浆处理后,尚能构成基本完整状态。

(3)锚桩的钢筋应扎成笼形,一般采用 4 根～6 根主筋,其直径宜为 12mm～16mm,锚桩的孔径一般取 100mm～200mm。

(4)锚杆的钢筋为单根主筋,锚杆的孔径一般取 3 倍主筋直径,但不小于主筋直径加 50mm。

(5)主筋一般采用热轧带肋钢筋,不采用冷加工钢筋。

(6)锚杆孔或锚桩孔,一般采用不低于 C30 的细石混凝土或不低于 30MPa 的水泥砂浆浇灌,浇灌前应将钻孔清理干净。

(7)锚杆或锚桩之间的中心距一般不小于锚杆或锚桩孔直径的 5 倍,且不小于 400mm,并不大于 1200mm。距基础边缘的净距不小于 150mm。当采用锚杆时,锚入岩层深度不小于锚杆孔直径的 20 倍;当采用锚桩时,锚入岩层深度不小于锚桩孔直径的 15 倍,锚入基础深度不小于钢筋直径的 25 倍。

(8)大块式基础的锚杆或锚桩主筋总截面一般按基础底面积的 0.05%～0.12%选取且应均匀配置,并不小于机器地脚螺栓的总截面面积。

(9)墙式或框架式基础的锚杆或锚桩,其主筋的总截面面积不小于墙内或柱内主筋截面面积的总和。

破碎机与其传动装置一般放在一个整体基础上,提出这样的要求是为了避免由于破碎机和电动机不在一个基础上,产生差异沉降后影响机器的正常运转;曾经有过传动装置与破碎机分设在各自独立的基础上的实例,其地基都是坐落在微风化的硬岩石上,也有做锚杆基础的,其他情况下都是将基础连成整体,尽量不做各自独立的基础。

当破碎机与传动装置分置在两个基础上时,如采用皮带传动,需要计算破碎机、电动机基础的稳定问题,此时皮带的拉力近似计算公式为:

$$P = \frac{5.85W}{n_0 r_0} \qquad (5)$$

式中:P——皮带的拉力(kN);

W——电机功率(kW);
　　r_0——主动轮半径(m);
　　n_0——从动轮转速(rad/s)。

5.1.7 由于破碎机的转速一般比较低,宜使基组自振频率高于机器工作频率,这样可以避开共振区,采取的具体措施是除了将基础自振频率提高以外,还应该在设计中提出对基础侧面回填土密实性的要求、基础与建筑地面连接要求,后两条措施并没有增加工程量,但是起到的作用确实很大。

5.1.8 大块式和墙式基础的配筋都是构造配筋,这是经过我国多年来对破碎机基础配筋构造经验的积累,经过实践证实是安全可靠的。

　　构架式基础采用的不多,其配筋应该按计算确定,构架式基础的构造配筋可按本规范第 3 章及第 8 章的相关规定执行。

5.1.9 破碎机基础构件承载力的验算时,基础底面弯矩计算公式中的 M_0 值不包括机器扰力产生的弯矩。

5.1.11 破碎机的动力计算按简谐荷载作用考虑,而没有计入运转时的瞬态冲击的影响。其中对大块式基础应计算其竖向及水平振动。对构架式基础,由于竖向振动不起控制作用,所以一般只计算其水平振动。

5.2 磨机基础

5.2.4 当 $f_{ak}>250$ kPa 时,磨机的头部和尾部可以分别采用独立基础,其理由为:

　　(1)以往已有不少设计在 $f_{ak}>250$ kPa 条件下采用头尾独立的磨机基础,经过多年的生产实践无异常现象。

　　(2)球磨机机器本身不断改进,使之有条件采用头尾分开的独立基础。

　　(3)地基承载力 $f_{ak}>250$ kPa 的情况下,球磨机的地基反力较小时,沉降量相对较小,设计时可以人为地控制其地基反力来减小两个独立基础间的差异沉降；但电机和减速装置应该与磨尾(后轴承)设置在同一个基础上,以减少由于不均匀沉降带来的故障。

(4)短筒式磨机($L \leqslant 2D$,L为筒长,D为筒体直径)基础一般设置在共同的刚性底板上,20世纪60年代我国曾经出现过此类磨机的振动问题,现在此种磨机已经很少使用了。

5.2.5 对于滚筒式磨机,筒体旋转速度缓慢,一般在50r/min以下,物料在筒体内不形成圆周运动,不产生简谐的离心力,因此机器在运转时产生的不平衡惯性力很小,基础一般不进行动力计算；但是设计中要满足基础的质量大于球磨机本体质量的3.5倍以上(包括衬板、钢球及料重),在磨头与磨尾分开设置的基础设计中,曾经出现过2700×3600湿式球磨机基础试车时机器跳起的情况,其原因就是配重不足所致。

5.2.6 本条规定了磨机基础进行静力计算的内容及在磨机中心线轴承处产生的定向水平当量荷载的计算公式。

5.2.8 一般情况,磨矿车间有两台及以上磨机在同时工作,并有其他设备,如分级机、旋流器、泵等,磨机操作(或检修)平台楼板开洞口时形状不规则,布置平台柱时,既要按洞口形状,又要考虑躲开其他设备,比较困难,将平台梁支撑在磨机基础上,不失为一种方法,但磨机振动较大,为避免平台振动大引起操作人员不适,平台梁与磨机基础的连接应为铰接,最好增设橡胶垫,减小对平台的振动影响。

5.2.9 由于立磨机种类、工作机理、生产厂家的不同,其振动的影响相差很大,设计此类立磨机的基础应结合工程的具体情况确定是否进行动力计算,如确需进行动力计算时,应参照旋转类机器基础进行计算。立磨机的转速均较低,基础的自振频率宜大于机器的扰力频率,因此需要基础具有一定的质量,立磨机基础与设备的质量比应按生产厂家提供的数据采用,如厂家没有提供,其基础与设备(不含物料重)的质量比不宜小于2.5；立磨机重心比较高,在水平力作用下需要计算基础的倾覆,其倾覆计算应分带负荷运转与空负荷运转两种情况。

5.3 其他滚筒类机器基础

5.3.1～5.3.3 这几条提出了其他滚筒类机器的种类,这些机器具有相同的特点,转速都很低,可以不进行动力计算,其静力计算和构造、配筋都可参照磨机类基础。有温度变化的管磨机基础和筒式烘干机基础,其配筋应计入温度伸缩力的因素。

6 提升、选别设备基础

6.1 提升机基础

6.1.1 提升机基础一般坐落在同一土层上。对于基础一部分坐落在基岩或好的硬土层上,其他部分为松软土层以及对于下卧层基岩表面坡度大于10%的地基需进行地基处理,避免基础产生不容许的倾斜影响设备正常运转。

6.1.2 提升机运行时的不利荷载主要由钢绳的工作荷载、断绳荷载组成。断绳时,钢绳对提升机产生的断绳荷载:对于单绳提升,一侧为断绳荷载,另一侧为2倍工作荷载;对于多绳提升,一侧为所有钢绳的断绳荷载,另一侧为所有钢绳的33%的断绳荷载。断绳荷载应采用整根钢绳的拉断力,即为85%全部钢丝拉断力的总和。钢绳工作荷载为可变荷载,钢绳断绳荷载为偶然荷载。本条计算规定参照了现行国家标准《矿山井架设计规范》GB 50385的相关规定。

对于提升机基础而言,其特殊性在于断绳荷载远远大于其他类型荷载,是属于起控制作用的荷载。按照现行国家标准《建筑地基基础设计规范》GB 50007的规定,基底压力应按荷载效应的标准组合进行计算,但考虑到提升机基础的受力特点,要求提升机基础基底面边缘最小压力宜大于零。

现行行业标准《公路桥涵地基与基础设计规范》JTG D63对墩台或挡土墙及现行国家标准《煤矿矿井建筑结构设计规范》GB 50592对提升机基础的抗倾覆和抗滑动稳定系数按荷载组合情况不同分别取不同的值,上述规范对基础在偶然荷载作用下的稳定性要求较低。因此本规范对断绳荷载作用下提升机基础的倾覆稳定性系数取1.2。抗滑移系数取1.05,主要是考虑基础四周回填土的嵌固作用等有利因素。

提升机设备与混凝土基础间的直接作用部分应力集中现象明显,需进行计算和配筋,主要为以下两个部位:螺栓垫板处,抗剪件埋入部分的混凝土。在螺栓拉力作用下,基础混凝土会沿 45°扩散形成锥形破坏面,为避免脆性破坏,可加长螺栓埋入深度或在螺栓周边混凝土中配筋,使拉力由钢筋传递给下部混凝土。此外,垫块下混凝土需配置间接钢筋加以约束。

抗剪件的埋入长度太短,也会使混凝土的局部应力加大,导致抗剪件前端的混凝土破坏,因此应对抗剪件的埋深及其前端混凝土的抗剪进行相关的验算。

6.2 摇床基础

6.2.3 本条对摇床基础布置作出规定。

1 凸轮式摇床结构在床头部分及床面下的弹簧座及四个滑动支承点共设置六个高于地面的支承点,支承点间的地面下设置排矿地沟,所以凸轮式摇床基础一般将六个支承点放置在两个基础上,也可做成六个独立基础[图 6.2.3(a)]。

2 偏心连杆式摇床结构在床头部分及床面下的四个摇头盒支承点,共设置五个高于地面的支承点,支承点间的地面下设置排矿地沟,所以偏心连杆式摇床基础一般将五个支承点放置在三个基础上,也可做成五个独立基础[图 6.2.3(b)]。

3 只有当地基承载力特征值 f_{ak} <100kPa 时,才需要根据设计要求将各部分基础底板联成整体。

6.3 其他机器基础

6.3.1 有色金属选矿、湿法冶金以及氧化铝等工艺生产中,大量采用浮选机、真空过滤机(含圆盘式、转鼓式等)、加压过滤机(含板框式、叶滤等)搅拌机(含机械搅拌、空气搅拌)等多种机器。其型号、类别、规格、产能多样,有些差异甚至很大,因此难以对其设备基础作出准确的规定,设计人员应充分了解设备的特性以及工程实践经验进行设计。

6.3.2 此类机器设备一般设置在地面上,采用大块式或墙式基础形式。基础质量较大,且大多数机器功率较小,或工作转速较低,因此该类设备基础通常可不做动力计算。

7 往复式机器基础

7.1 活塞式压缩机基础

7.1.1 本条提出设计活塞式压缩机基础所需的基本资料,其中压缩机的扰力和扰力矩以及作用位置应由设备制造厂家提供,若制造厂家不能提供,则应提供曲柄连杆数量、尺寸、平面布置图和曲柄的角度以及各运动部件的质量等资料,由设计人员进行扰力和扰力矩的近似计算。往复式机器的扰力主要是各列汽缸往复运动质量和旋转运动质量惯性力之和,各分扰力向曲轴上汽缸布置中心 C 点平移时形成扰力矩。因此往复式机器主要扰力和扰力矩方向依汽缸方向而定,立式机器以 P_z、M_θ 为主,卧式机器以 P_x、M_ψ 为主。

7.1.2 活塞式压缩机基础应采用整体性好的现浇混凝土、钢筋混凝土结构,而且动力计算采用单质点模式的计算简图,也要求基组必须是刚体,所以当机器安装在厂房底层时,一般做成大块式混凝土基础,当机器安装在厂房二层标高时,则做成墙式钢筋混凝土基础,当墙式基础满足本规范第 7.1.11 条的构造规定时,竖向振动可按大块式基础进行动力计算。

7.1.3 活塞式压缩机基础的设计,需防止过大的沉降与倾斜,而且当振动加速度过大时会促使沉降加剧;基础的沉降和倾斜容易造成汽缸与活塞间摩阻力增大,甚至造成活塞卡住汽缸、连接管道拉裂等,影响正常运转,甚至停产检修。防止基础产生有害沉降和不均匀沉降,保证机组稳定正常运转,延长维修周期和机器使用寿命是极为重要的,因此应优先将基础设置在均匀的低、中压缩土层上,否则应进行地基处理以获得均匀地基。

7.1.5 本条给出了活塞式压缩机允许的不均匀沉降差,在满足这些条件时，一般不会造成设备的损坏。

7.1.6 动力机器基础计算中坐标系的确定尤为重要，机器坐标系CXYZ中原点C即为机器扰力作用点。基组坐标系$oxyz$中的原点o取基组质心，坐标方向与机器坐标相同。C点对o点一般均有一定的偏心e_x、e_y、h_z。基组动力计算时，各公式推导均对$oxyz$坐标而言，因而作用于C点的P_{Zk}、P_{Xk}在振动计算中均先平移至总质心点o，同时产生相应的扰力矩。

为使平面配置更加合理，本条强调了活塞式压缩机基础配置时，宜使基组质心与机器主轴上各汽缸布置的中心位于同一竖直线上，减少由于配置问题引起的扰力矩的增大。

7.1.7 本条提出了计算活塞式压缩机基础振动的内容，设计者可以根据本规范附录A中给出的对应公式对基础进行振动位移的计算。

7.1.8 本条提出了活塞式压缩机基础的振动位移的合成问题，应按本规范第3.2.8条给出的公式进行计算。

7.1.9 活塞式压缩机基础动力计算的最终目的是要把基础的振动控制在容许范围内，以满足机器正常运行和工人正常操作的要求。

对于超高压压缩机，由于气体压力很高，为保证机器和管道安全工作，对振动限值的要求比较严格，应由机器制造厂按专门规定确定。

7.1.10 工程设计中经常遇到中、小型压缩机，根据实践经验和综合分析，得出不做动力计算的界限，以便设计人员使用。小型压缩机一般为立式、L形、W形，其转速较高，基础较小，其扰力一般小于10kN，一般情况下，采用机器制造厂提供的基础尺寸均能满足振动要求。本规范提出基础质量和基底静压力的要求，一方面保证基础的稳定，另一方面控制基础底面积，当机器转速较高，地基刚度较低时，后一条要求对于避开共振区尤为重要。

对称平衡型机器一般由两列、四列或六列汽缸组成，水平扰力相互抵消，一般以一谐扰力矩为主，且转速相对较低（一般 $n<500\mathrm{r/min}$）。这类基础多为墙式且底板尺寸较大，故不会发生共振且振动相对比较平稳。

7.1.11 由底板、纵横墙和顶板组成的墙式基础，各部分尺寸除满足设备安装要求外，主要以保证基础整体刚度为原则，各构件之间的联结尤为重要。控制悬臂板根部最小厚度和最大悬臂长度的关系，是保证在动力荷载作用下不产生共振和保证构件的强度。机身部分和汽缸部分墙厚的规定是根据国内工程实践总结确定的。

7.2 隔膜泵基础

7.2.1 本节适用于卧式布置的往复式隔膜泵基础的设计，往复式泵按往复元件不同分为活塞泵、柱塞泵和隔膜泵三种类型，氧化铝厂大量使用的是隔膜泵，并成为拜耳法工艺生产氧化铝的关键设备，是氧化铝生产的心脏。本节着重于隔膜泵基础的设计规定，其他两种类型的泵基础可参照隔膜泵基础进行设计。

7.2.2 本条提出隔膜泵基础的设计应取得的基本资料，尤其是在做动力计算时，应由设备生产厂家提供第1款～第3款的内容。

7.2.4 本条提出隔膜泵基础的混凝土强度等级不宜低于C30，是基于隔膜泵基础处于中、强碱性腐蚀环境，设计者应根据工程具体情况，按照现行国家标准《工业建筑防腐蚀设计规范》GB 50046 的相关要求，提高混凝土的强度等级，增加混凝土的密实度，这对于碱性环境中的隔膜泵基础来说，防腐蚀效果更加明显。

8 旋转式机器基础

8.1 一般规定

8.1.1、8.1.2 有色金属工程中旋转式机器是最为常见的机器设备类型,大型的离心压缩机、汽轮发电机、燃气轮机等机组,中、小型的风机、叶片泵、电动机以及变速机等机器、配套装置,都属于该类型机器。

旋转式机器的工作特点是通过机器中心轴叶轮(转子)旋转,由于转子的质量中心和旋转中心难以完全重合,产生运动不平衡力——扰力使机器与基础振动。其振动的不同程度与机组安装精度、运行速度、工作介质等多个因素有关,而旋转式机器的工作转速(n)是决定该类机器基础动力设计的主要依据。为此通常以机器工作转速为界,将旋转式机器划分为三类,本章各节分别以其典型机器为代表进行论述:

1 当工作转速小于或等于1000r/min时为低转速机器,以中、小型电动机为其代表;

2 当工作转速1000r/min～3000r/min时为中转速机器,以汽轮发电机组为其代表;

3 当工作转速大于3000r/min时为高转速机器,以透平压缩机组为其代表。

8.1.5 机器基础结构的安全等级通常不低于二级,当用于工厂主要动力供应的大型汽轮机组或工艺生产安全关键环节的设备时,鉴于其关系到生产的重要性和工厂的全面安全需要,机器基础结构的安全等级宜为一级。

8.1.7 机器基础宜坐落在良好均匀的天然原状土层上,如基底部分土质不良,应通过有效地处理采用人工地基。当土质松软持力层较深时,应采用预制桩或具有挤土效应的灌注桩与承台基础共同持力。

8.2 低转速电动机基础

8.2.1 低转速机器是工程中常用的设备,有普通风机、中、小电动机,叶片式泵,调相机,风扇磨煤机等,以及转速小于或等于1000r/min 的其他机器。

8.2.2 旋转式机器的扰力值、作用位置、作用方向一般由工艺专业配合设备厂家提供,但工程中往往缺少该类数据资料或者差异较大,可信度差,难以直接选用。

为了满足工程设计的需要,在调查总结的基础上,对风机、电机、泵类、汽轮机等旋转类的机器,可根据机器转子质量(m_g)、机器的圆频率(ω)以及转子的偏心距(e)等参数,通过公式计算确定机器扰力值。

此外,也可采用机器转子重力值乘以经验系数得到机器的扰力值。在条文中同时推出了上述两种扰力近似计算方法,均可采用。

8.2.3 对构架式基础且仅计算结构构件的动内力时,可以采用静力当量荷载替代动力荷载进行简化计算。静力当量荷载值(N_v)是将机器的扰力值(P_{vk})乘以动力放大系数(μ)并计入混凝土材料的疲劳影响系数(β)后的乘积得到:

$$N_v = \mu \beta P_{vk} \tag{6}$$

在具体工程中,静力当量荷载值可直接依据机器的工作转速、机器转子的重量等参数通过查表计算取得。对当量荷载值,应明确其作用点、作用方向(竖向、水平横向、水平纵向)。

8.2.4 低转速电动机基础的设计计算涉及静力与动力两部分内容。其中静力部分含大块式、墙式以及构架式基础的设计计算,本条概括规定了设计计算原则和内容,应遵照执行。

动力设计计算,对大块式、墙式基础,一般按本规范第 A.1 节并参考第 7 章往复式机器基础的有关规定进行。对构架式基础的动力设计计算,一般按本节和第 8.3 节以及本规范附录 A 的有关规定进行。

8.3 汽轮发电机组基础

8.3.1 近年来有色金属工程中,汽轮发电机组应用数量逐渐增长,除了用于传统性工艺生产热电供求之外,发展较快的目前是节能、余热利用等热电工程项目。据资料统计显示:当前有色金属工程较为普遍应用的汽轮发电机组,功率多在 6MW~30MW 范围内,工作转速为 3000r/min。

本节主要针对工程常遇到的汽轮发电机组,根据其基础在工程设计中的技术要求而制订。对于其他中转速类机器如离心式压缩机、动力式泵、中速电动机等基础,可参考本节规定实施。

8.3.2 构架式基础应强调注重结构的概念设计,从总体上把握该类基础的基本特征。应当通过吸取工程经验,精心配置,完整分析、计算以及良好的构造措施,确保实现刚度、承载能力和动力特性三个基本要求均达到良好的水平。

设计中,构架式基础应具有一定的结构刚度,这是机组在高速运行中保持安全、稳定必不可少的条件。以大、中型汽轮机组为例,由于其数个转子共同组成旋转体系,具有较长的轴系支承,必须有良好的结构刚度作保证。

构架式基础是由顶板及其纵横构架梁、支承柱、底板等结构构件组成,在各类静力、动力荷载和温度、地震等作用下,其承载能力和必要时对正常使用极限状态的有关要求,应当满足现行国家标准《混凝土结构设计规范》GB 50010、《建筑抗震设计规范》GB 50011 的相关规定,使得结构构件符合生产使用的安全性和耐久性。

作为支承动力机器的基础,必须充分考虑机器与基础的相互作用及影响,依据理论研究和多年工程实践,对旋转类机器的构架式基础,通过研究并控制基础顶面的振动线位移、振动速度限值,以合理的结构设计,实现良好的基础动力特性指标。

对于较为大型、新颖的汽轮发电机组,结构的选型可通过必要的比选、优化程序:首先可加大扰力作用点构件的质量,使顶板具有一定的质量和刚度,并以顶板构件、柱的断面、柱的位置等参数为变量,进行构架式基础动力特性的反复优化、比选、验算。以减少基础的振动,减小扰力作用点基础构件的最大振动幅值为目标,从而选择最为适宜的含构架各构件最佳断面的基础结构。

8.3.3 当选用冷凝式汽轮机或选用中间抽气式汽轮机作为原动机时,应根据凝汽器颈部与汽缸的连接方式决定是否考虑凝汽器的真空吸力。汽轮发电机组中凝汽器的真空吸力因凝汽器与汽缸的连接方式不同,会产生不同的荷载分布,当凝汽器颈部与汽缸柔性连接时,按本条式(8.3.3)计算,且应对构架式基础直接承受力的结构构件,做承载能力的验算。当凝汽器与汽缸刚性连接时,凝汽器通过弹簧支承在下部支墩上。此时凝汽器与低压气缸可视作一个整体,因而不会产出真空吸力。

凝汽器重量的分配应随安装操作顺序而定,一般是先将凝汽器支承在支墩的弹簧上,然后再完成颈部的刚性连接,这样凝汽器本身的重量就全部由下部弹簧承受,而以后发生的凝汽器汽室或工作水室的充水重量则全部由基础上部结构承受;当部分充水后再完成颈部的连接,则荷载的分配将随之改变。因此基础设计前应了解机器具体的安装要求,并应考虑荷载的最不利布置和组合。

关于环境温度的作用,当大型构架式基础长度超过规定,温差大于20℃且难以通过一般构造措施消除温度影响时,宜进行纵向框架的温度应力的计算。通常工程中多采取构造措施加以解决,如选用后浇带、增设温度筋等,尽可能不做温度应力的计算。

8.3.4 中转速机器的扰力值、作用位置、作用方向一般由工艺专业配合设备厂家提供。实际工程中往往缺少该数据的资料,使得工程设计计算出现难题。

为了满足工程设计需要,在调查研究的基础上,对汽轮机等中转速的机器,可采用扰力系数(k_p)与其机器转子重量(W_g)的乘积,作为机器近似扰力的标准值(P_{vk})。

除条文规定的扰力计算方法之外,工程中也可选用机器转子质量(m_g)、机器的圆频率(ω)以及转子的偏心距(e)等参数,通过下列理论性通用计算公式,计算得到机器扰力的近似标准值(P_{vk}):

$$P_{vk}=m_g e\omega^2 \quad (v= x 、z) \tag{7}$$

式中:P_{vk}——机器沿竖向或水平横向的扰力标准值(kN);

m_g——机器旋转部件的质量(t);

ω——机器扰力圆频率(rad/s);

e——机器旋转部件偏心距(m),可按表1选用。

表1 中转速机器旋转部件偏心距 e

机器类别	旋转部件名称	工作转速 n (r/min)	偏心距 e($\times 10^{-3}$m)
汽轮机组	转子	3000	0.02
		1500	0.07
电动机	转子	小于1500	0.20~0.30
		大于或等于1500	0.10
泵类	转子	小于1500	0.30~0.35
		大于或等于1500	0.25

注:表中工作转速为中间值时,按直线插入取值。

8.3.5 汽轮发电机组等中转速机器的基础,其设计计算的内容和有关要求涉及静力与动力两部分内容,与本规范中的第8.2.4条相对应。两条分别对两类转速机器基础的结构设计作了概括梳理。其中静力部分在第3章已有全面的规定。动力计算的具体技术要求按本规范第8章及附录A的有关规定执行。

本条第2款"对于构架式基础应计算基础顶面的振动线位移,可只计算扰力作用点处的竖向振动线位移"的规定,与现行国家标准《动力机器基础设计规范》GB 50040 中"一般情况下,只需计算扰力作用点的竖向振动线位移"是一致的。这一规定也是适应多自由度体系的实际情况制订的,由于多自由度体系分析计算需将结构进行力学模型简化,通常将梁的中点设为一个质点(即只有一个自振频率)。此时,扰力作用点处计算的竖向振动线位移即是该梁振动线位移的控制值。但是在某些特定情况下,可能会将主梁分设为 2 个~3 个质点,主梁具有多个固有频率与多个振型,此时扰力作用点处的竖向振动线位移值就不一定是该梁上的振动线位移的控制值,需要做各个振型的分析验算。因此在执行本规定时,设计者应当注意相关的条件、假定等要求,从而据实确定验算的内容。

8.3.6 采用空间多自由度体系模型是构架式基础较为精确的振动计算方法。构架式基础实际上是一个无限自由度体系,在保证体系的刚度分布与原来一致的前提下,通过力学模型将梁、柱的分布质量集中到有限个节点上,简化为空间多自由度体系,选用专门的电算程序进行结构动力分析计算,计算成果较为精确合理。因此选用空间多自由度体系模型是构架式基础分析计算首选的方法。

本条给出了结构动力分析所采用的各种计算参数的取值。有关空间多自由度体系计算详见本规范附录 A 的规定。

8.3.7 部分构架式基础的动力计算在一些特定的条件或当采取一定的工程措施之后,设计计算可以近似或简化,甚至不做动力计算。

目前,空间多自由度体系的分析方法是比较接近基础的理想振动状态,且分析计算中,考虑了机器工作转速±25%的扫频,计入了结构发生多个共振的不利影响,使分析计算更为全面、合理。但是应当看到,目前构架式动力机器基础分析仍然存在不足。由于主要技术参数(如扰力值)存在的不准确性及一些技术假定的差异(质点数量,机座、管、壳的刚度,阻尼选取等),因此其计算成果也具有一定的相对性。

在空间多自由度体系分析的同时,工程中相继出现了一些简化计算方法。所谓简化计算,是与较为精确的空间多自由度体系的分析方法相比较而言,前者是通过适当的技术假定,在精确理论分析的基础上,主观地省略、简化一些次要因素(参数)后,做简明的分析计算,且以多个工程实例分析、对比,从而获得工程通用的计算方法。

考虑空间作用的两自由度体系的简化计算,是将空间构架中的横向构架作为平面构架,以"空间影响系数"近似替代空间作用,按照平面构架进行分析计算。采用两自由度体系简化计算时,构架柱的刚度(K_2)及质量(m_2)与横梁的刚度(K_1)及质量(m_1)之比是影响振动性能的重要参数,应依据工程的实际数据计算,计算方法详见本规范第 A.2 节。

将空间构架中的横向构架分解成平面构架的简化计算方法与空间多自由度的分析方法相比肯定存在差异,有的差异还可能较大。但是只要该简化计算的成果符合工程需要,能够经得起工程实践的检验,并满足机器本身对容许振动幅值的要求,合理的简化计算方法在有色金属工程设计中是可行的。

本条第 2 款,汽轮发电机组构架式基础满足表 8.3.7 的条件可不做振动计算,是引自现行行业标准《火力发电厂土建结构设计技术规程》DL 5022 的有关规定,并结合有色金属工程实际加以制订的。

8.3.8 中转速机器构架式基础,当仅计算结构构件的动内力时,可以采用静力当量荷载(简称"当量荷载")替代机器扰力,进行简化计算。当量荷载值(N_V)是通过多年工程实践经验总结、归纳确定的,其实质是将机器的扰力值(P_{vk})乘以动力放大系数(μ)并计入混凝土材料的疲劳(β)后的乘积得到,取代静力计算的当量荷载标准值(N_V)。

在实际工程中,中转速各类机器基础的当量荷载值可直接依据机器的工作转速、机器转子的重量，以及构架顶面梁和构架柱集中的质量等参数，通过给出的相应表格计算取得。

根据电力系统工程设计资料，对工作转速为3000r/min的汽轮发电机组，当不做振动计算时，发电机组竖向和水平向的当量荷载可按照表2采用。

表2　发电机组的当量荷载值(kN)

发电机组功率 Q (MW)	当量荷载 N_{zi}、N_x、N_y 及作用方向	
	竖向	水平向
$Q \leq 25$	$10W_{gi}$	$2\sum W_{gi}$
$25 < Q \leq 125$	$6W_{gi}$	$\sum W_{gi}$

表2中，W_{gi} 为作用在横向构架上第 i 点的机器转子重力，是集中到梁中点或柱顶的转子重力(kN)；N_{zi} 和 N_x、N_y 分别为横向构架第 i 点的竖向当量荷载、水平横向构架总当量荷载以及水平纵向总当量荷载。水平横向构架总当量荷载以及水平纵向总当量荷载求出后，尚应按照本条第3款第3项的规定进行各榀构架当量荷载的分配。

8.3.9　为保证机器设备的使用寿命和安全运行，同时满足环境对机器振动的影响许可度，工程设计需对动力机器基础的最大振动位移、振动速度、振动加速度等值作出严格的限制。汽轮发电机组基础顶面控制点的计算最大振动位移应满足本条规定，并符合本规范第3章对振动容许限值的有关规定。

8.3.10　用于大功率的发电机组，通常多选用同步电动机，同步电动机在工程设计中需考虑其短路力矩。同步电机的短路力矩来源是：电机在短路时，转子具有外加直流励磁，其磁场仍起作用，因而在短路瞬间，转子惯性使之仍以原来转速旋转。为此转子切割闭合的定子线圈造成电机内部瞬时冲击，形成一组以力偶形式出现的力矩，称为短路力矩。如果将短路力矩值除以固定电机的螺栓距离值，即可求得作用在基础面上的短路力矩荷载值。

通常依据制造厂家提供的短路力矩计算公式,再乘以动力系数(2.0)后,即可近似作为偶然荷载对结构构件做极限承载能力的设计验算。

本条还提供了一个计算式(8.3.10-4),此式仅为数值估算,可不考虑各参数的单位物理量关系。

8.3.11 构架式基础的地震作用验算,在结构构件截面抗震验算中,对旋转式机器动力荷载作用的组合值系数,重要能源供应系统中的大、中型汽轮机组可取 0.70,其他动力机器荷载的组合值系数可依据其功率大小,依次取 0.25～0.00。这是根据现行国家标准《构筑物抗震设计规范》GB 50191 和《动力机器基础设计规范》GB 50040 的有关规定制订的。

有关构架式基础结构抗震等级的确定,是根据现行国家标准《混凝土结构设计规范》GB 50010 相关规定,并结合有色金属工程特点加以制订的。

经过对大、中型汽轮机组多个工程的构架式基础验算表明,按照相关构造要求配置的构架式基础,在各种情况下,按底板不动、上部为单质点体系,或考虑地基的弹性影响,按两个自由度计算,其基本周期均小于 0.3s。结构的地震影响系数曲线基本位于水平段,即取水平地震影响系数最大值。

8.4 透平压缩机组基础

8.4.1 以透平压缩机为代表的高转速机器,其工作转速在 3000r/min 以上,透平机械是装有叶片的转子作高速旋转运动,流体(气态或液态)流经叶片之间的通道时,叶片与流体之间产生力的相互作用,从而实现能量转化的动力式流体机械(涡轮机)。透平机械中的工质可以是气体——蒸气、燃气、混合气体,也可以是液体——水、油、溶液。透平机械以其流体流动的方向分为轴流式、径流式以及斜流式三种形式。目前,透平压缩机组正向着高转速——超过 10000r/min 工作转速以及大功率、大流量为代表的大型化方向发展。

本节规定主要是针对透平压缩机组基础设计的具体实际制订的,对于其他高转速类机器基础,可参考本节规定实施。

8.4.3 透平压缩机组等高转速机器的扰力值、作用位置、作用方向一般由工艺专业和设备厂家提供,但是实际往往缺少该类数据资料,难以在工程中应用。

为了满足工程设计需要,在调查总结大量工程实例和数据的基础上,对透平式压缩机基础,采用机器转子质量(W_g)、机器的工作频率(n)等参数,通过计算可以得到机器扰力的近似标准值(P_{zk}),先按式(8.4.3-1)求得竖向、水平横向扰力标准值,再取其值的 1/2,即得水平纵向扰力值(kN)。

8.4.6 高转速机器设备往往采用变速装置来提升机器的工作转速。目前透平压缩机的工作转速很高,是一般电动机转速的数倍以上。通过调速装置来实现增速效果。为此在工程设计中既应得到机器的工作转速,它是确定机器扰力值、扰力频率的重要数据,同时还需要取得该机组的驱动机、变速器等附属装置的工作转速、质量分布等有关参数,其对工程的影响不可忽视。

采用电动机驱动高转速压缩机时,两台机器组成的机组放置在同一基础顶板上。从以往大量的工程资料可知,电动机虽转速不高(1500r/min～2000r/min),但转子重量却大于压缩机,致使电动机的扰力会大于压缩机。相应的振动效应也较大,可能使机器基础控制点的振动幅值加大。工程设计中应根据实际配置,分别对机器基础做高转速与其他转速的振动计算。当高转速压缩机与驱动机之间设有变速装置时,计算机器转子重量时,尚应计算变速装置内相同转速的齿轮自重,参与相同转速动力分析计算。求解出各自振源作用下,基础顶面控制点的振动位移,并按照本规范第 3 章的相关规定计算总振动位移、总振动速度和总振加动速度。

8.4.7 高速离心式压缩机,基础顶面控制点的振动速度均方根值不应大于 3.5mm/s,是根据现行国家行业标准《离心式压缩机基础设计规定》HG/T 20555的有关规定制订的。

8.4.8 高转速机器构架式基础,当仅计算结构构件的动内力时,可采用静力当量荷载替代动力荷载,进行近似简化计算。当量荷载值(N_v)是将机器的扰力值(P_{vk})乘以动力放大系数(μ)并计入混凝土材料的疲劳(β)后的乘积得到,参见本规范第8.2.3条的条文说明。

在实际工程中,有关高转速机器基础的当量荷载值可直接依据机器的工作转速(n)、机器转子的重量(W_g)以及机组的总质量(W_1)等参数,通过本规范给出的相应表格,查表计算取得。

8.4.9 透平压缩机构架式基础,根据以往同类工程经验证实:当机器扰力值不大于20kN,机组上部质量与其机器转子质量之比大于某给定值,即满足本规范式(8.4.9-1)、式(8.4.9-2)规定时,该机器基础可以不做振动计算,能确保正常使用。

本条规定是根据现行行业标准《离心式压缩机基础设计规定》HG/T 20555的规定,以及正式出版的《建筑振动工程手册》提供的相关资料,进行验算对照而加以制订的。

8.4.10 根据多年来同类工程实践的总结,高转速机器构架式基础,当机器作用在每榀横向构架上的重量小于或等于150kN,基础的顶板和立柱的刚度较大,构件具有较高的强度等条件都具备时,该机器基础可不进行动内力验算,能确保基础结构的安全运行。

8.4.11 地基的弹性对构架式基础的动力作用具有一定的影响,其中对转速小于或等于1000r/min的机器基础影响较大,不容忽略。而对等于或大于3000r/min的机器基础影响很小,可不考虑。为此,本条规定:当机器工作转速小于或等于1500r/min的构架式基础,宜考虑地基的弹性影响,视地基为弹簧,宜将地基的动力参数纳入到构架的分析计算中。

8.4.12 透平压缩机组构架式基础地震作用的计算,依据国内多个行业大量工程实践表明:在地震设防烈度为6度～8度地区,结构的荷载效应组合在绝大部分情况下,持久设计状况的基本组合均大于地震设计状况的荷载组合,即基础构件的强度是由其荷载基本效应组合控制的,表明构件一旦使用强度满足,即可抵挡 8 度及 8 度以下的地震作用,不必另行验算。

但是近年来调查发现,有的压缩机基础建造得过大、过高(横向单跨跨度及总高度均大于 10m),有的基础还与厂房连在一起,此时,结构计算中地震组合会大于其基本组合效应,地震作用将不可忽视。结合有色金属工程现状,在条文中作出规定:当建造在设防烈度 7 度(0.15g)及其以下地震设防区时,构架式基础可不进行地震作用的验算。而对 8 度(0.2g)及以上的地震设防区,宜进行地震作用的验算。

8.5 构 造 要 求

8.5.2 基础的构造规定是为了满足机器使用要求,确保其支承受力的可靠与合理。本条规定的构架式机器基础各项设计构造要求,就是力求达到满足适宜的刚度,相应的承载能力,以及良好的动力特性的既定目标,使之充分体现出良好的空间工作结构体系。

构架式基础的底板应具有一定的厚度以确保结构的总体刚度。同时,更为直接的是选取的底板尺寸,应满足构架立柱的嵌固条件,即立柱竖向受力钢筋应在底板有效厚度内具有可靠的锚固段;底板还应具有必要的抗弯刚度,满足其作为立柱的不动支点。

8.5.3 汽轮发电机组构架式基础,考虑到汽轮机使用中具有一定的温度作用,纵、横梁的两个侧面需增加设置温度筋(通称腰筋)。

本条根据现行行业标准《火力发电厂土建结构设计技术规程》DL 5022、《离心式压缩机基础设计规定》HG/T 20555 等相关文献及资料,并结合有色金属工程实际加以制订。

8.5.4 本条对位于地震设防区的透平压缩机构架式基础的配筋作了相关规定,依据为石油化工行业工程经验及现行行业标准《离心式压缩机基础设计规定》HG/T 20555。

9 加工类设备基础

9.1 一般规定

9.1.1 本条明确提出了有色金属加工类设备基础的适用范围,即专门针对加工生产线所涉及的主体设备和辅助设备,设备基础设计方面与本规范其他章节的内容有很多不同,特点明显,故单独成章;对于有色金属加工企业设计中涉及的其他设备基础,可遵照本规范其他章节的规定执行。

9.1.2 本条为有色金属加工类设备基础在施工图阶段应取得的设计资料,当加工类设备基础与车间厂房基础采用联合基础时,尚应取得相关厂房基础设计资料;在可行性研究、初步设计、方案设计阶段,应根据加工类设备基础设计内容取得其中相应的设计资料,必要时尚应了解当地的工程经验,并取得相关资料。

9.1.3 关于混凝土材料规定的说明:

(1)防水混凝土结构底板的垫层采用 C15,与现行国家标准《地下工程防水技术规范》GB 50108 一致;因很难配制出低于 C15 的泵送混凝土,因此建议当为泵送混凝土时采用 C15。

(2)混凝土表面温度在 60℃~200℃ 时,仍采用普通混凝土,但混凝土强度设计值应予折减,这与现行国家标准《烟囱设计规范》GB 50051 一致,此时应对骨料的选用进行限制,应采用温度膨胀系数较小,热稳定性较好的骨料,用于隔热保护的混凝土可采用耐热混凝土。

(3)混凝土表面温度超过 200℃ 时,应采用耐热混凝土,耐热混凝土的配合比应根据试验确定,其骨料的选用应坚硬致密,不得含有金属矿物、云母、硫酸化合物和硫化物。

(4)处于腐蚀性介质环境的混凝土,应该采用耐酸、耐碱混凝土,其配合比应该根据试验确定,并应符合现行国家标准《工业建筑防腐蚀设计规范》GB 50046的相关规定。

9.2 基础布置及形式

9.2.5 有色金属加工设备基础与毗邻基础相碰或基底标高不一致是设计中经常遇到的问题,本条根据工程经验给出了通常的处理方法。

2 当厂房基础先于设备基础施工,且设备基础底标高低于厂房基础标高的情况下,基础间净距应考虑地质情况、设备重要性、设备基础荷载大小、施工方法、地下水等多种因素,基础间净距与两基础间高差之比应大于1。

3 当地基土质较好或采用桩基时,设备基础的辅助部分可放在柱基础台阶上,此时设备基础底面与柱基台阶顶面之间应留不小于300mm的间距,并用砂石材料填充。

5 当有防水要求的箱体基础或地下室范围内有厂房柱基穿过且因以下原因不能整浇,必须脱开布置时,可采用套柱:

1)箱体基础或地下室内布置精密仪器,为避免或减小吊车运行的振动影响;

2)厂房柱基荷载很大,其沉降远大于箱体基础或地下室的沉降;

3)箱体基础或地下室与既有厂房柱基整体连接很困难时;

4)厂房柱基采用桩基或基岩地基,沉降较小,箱体基础或地下室采用天然地基或回填夯实地基沉降较大时。

9.2.6 设备基础伸缩缝(包括沉降缝)的设置考虑了以下因素:

(1)设置伸缩缝时,应与设备及其布置相配合,一般应控制以下三点:

1)同一设备或具有同一底座的一组设备,不得跨坐在伸缩缝上;

2)设备之间设置伸缩缝时,伸缩缝两边基础的沉降差应满足设备允许限值；

3)当管道通过伸缩缝时,不应阻碍伸缩缝变形,并应采取措施避免伸缩缝变形对管道产生不利影响。

(2)为保证传动轴为直接传动或刚性连接的机组的正常运转,应采用整体式基础,不得设置伸缩缝。筏基、连续箱体基础若设置伸缩缝,不但造成防水的薄弱环节,而且伸缩缝处基础的差异沉降会给正常生产带来不利影响。

9.2.7～9.2.11 根据工程经验,这几条分别给出了有色金属加工主生产线设备基础的常用形式,基本满足了加工生产的需要。

9.3 荷载及其组合

9.3.1 对于不变动地下水位的水压力可视为永久荷载,变动水位的地下水压力视为可变荷载,其荷载分项系数按照现行国家标准《建筑结构荷载规范》GB 50009 的规定采用。

关于偶然荷载中的意外事故引发的爆炸、撞击、火灾等巨大且短暂的荷载数据应该根据实验确定。

10 储罐设备基础

10.1 一般规定

10.1.1 常压立式钢质圆筒形储罐,在有色金属工业领域的湿法冶金工艺、氧化铝生产及厂区大型原料场等多种场所应用,用途极为广泛。通常用于中性、偏碱性生产介质溶液、尾液、液态中间产品的生产设备;同时也大量作为企业的原油、燃油、供水等中性液体的存储容器。本节是针对上述储罐所配套的基础作出设计规定。

近年来,随着生产建设不断发展,钢质圆筒形储罐使用范围、规模均进一步扩大。大容积、大直径且成组成片设置储罐在工程上应用十分普遍,储罐基础成为大型工业场地上量大面广的构筑物群体。

在有色金属火法冶金工艺中,还具有必不可少的烟气制酸生产,为此工程中需要设置大量酸储罐。这类储罐基础,不论罐内盛浓硫酸还是稀硫酸,其腐蚀机理尽管不完全相同,但在基础的腐蚀防护上十分必要。虽然这类基础在结构受力、设计计算与一般储罐设备基础无根本性的差别,但是在细部处理和构造上严格、独到,如果处理不合理,可能会发生事故甚至引起灾害。因此对用于储存较强腐蚀性液态介质的储罐,应按照防腐蚀技术要求和工程经验做好相应构造措施,该类储罐设备基础也可参照本章执行。

10.1.3 储罐设备基础多为体积较大、露天设置、落地式的构筑物,通常采用钢筋混凝土大块式、筏板式结构;当地基较好,储罐底面受力均匀,也可采用柔性基础。而对于生产工艺中需要选用坡底式储罐,或者具有底部排料功能的储罐,以及生产工艺需要抬升储罐标高,满足介质自流要求的,需要架空配置储罐设备,通常应选用筒(柱)承式基础,以墙或柱作为支承构件,实现托举、抬升、支承储罐设备的要求。

10.1.4 储罐设备基础在正常的使用中会遇到跑罐、渗漏等意外事故,此外,储罐的维护和检修需预先将罐内介质、溶液排空,如就近直排,将会发生一段时间内大面积的流淌、溢流等问题。因此工程设计应当作出相关的应对技术措施,避免发生事故或环境污染。

10.1.5 储罐基础主要承受储液、罐体等静力荷载,即便有些储罐内设置有机械或空气搅动,由于速度慢、功率较小,一般情况下储罐基础不需要进行动力计算。地基与基础承载能力的设计计算应符合本规范第 3 章及现行国家标准《建筑地基基础设计规范》GB 50007、《混凝土结构设计规范》GB 50010 的有关规定。

10.1.6 具有搅拌功能的储罐应依据工艺专业的资料和工程经验计算储液的竖向及水平向荷载的增加值,可将储液的重力乘以 1.05～1.10 的荷载系数作为荷载的增加值。必要时尚可取储液重力的一定比例,宜计算水平向荷载的作用。

10.1.7 储罐基础当需要验算地基变形时,基础直径方向上的沉降差许可值可按本条规定选取。储罐直径大于 40m,或复杂条件下的取值应符合现行国家标准《立式圆筒形钢制焊接油罐设计规范》GB 50341、《钢制储罐地基基础设计规范》GB 50473 的有关规定。

10.2 筏板式基础

10.2.2 储罐的筏板式基础通常采用平板类,当地基土较为均匀且无软弱夹层,筏板的厚跨比不小于 1/6 时,筏板可按基底反力直线分布的近似计算方法。

而当地基土较为均匀、无软弱夹层,其支承的上部储罐是由厚板焊接而成的平底式圆筒形储罐,符合现行国家标准《立式圆筒形钢制焊接油罐设计规范》GB 50341 的有关规定,且罐底与筏板基础全面接触时,由于均匀受力,可视为基础将上部荷载直接传至地基中,此时筏板可不做内力计算,筏板只要符合构造要求即可。

10.2.3 筏板式基础的承载能力极限状态设计应验算筏板冲切承载能力,当必要时尚需验算筏板正截面受弯承载能力、受剪承载能力,以及筏板局部承压承载能力。这些验算应符合现行国家标准《建筑地基基础设计规范》GB 50007、《混凝土结构设计规范》GB 50010 的相关规定。

10.2.5 大型筏板基础在施工过程中,考虑到受温度作用较为突出,对直径等于或大于 20m 的筏板基础应注意其周边长度过大的不利影响。在混凝土的浇筑中,宜采用分区浇筑、留后浇带、设置施工缝,以及在混凝土凝固、养护等工序中选用有效的技术措施,防止混凝土收缩开裂。

10.3 筒(柱)承式基础

10.3.2 储罐的筒(柱)承式基础设计,通常除基底最大压应力满足地基承载力特征值的验算外,还应做墙体或筒(柱)、环梁、底板等构件的承载能力极限状态的计算;必要时尚应做构件正常使用极限状态的验算。有关计算要求应符合现行国家标准《混凝土结构设计规范》GB 50010 的有关规定。

位于地震设防区的筒(柱)承式基础应依据地震设防烈度、基础的实际情况进行抗震验算和实施抗震构造措施,应符合现行国家标准《构筑物抗震设计规范》GB 50191 等的有关规定。

10.3.4 储罐的筒(柱)承式基础属于高重心体系。尽管不属于高耸构筑物范围,但是由于生产或储存的液体介质易波动、泄漏,参照现行国家标准《钢筋混凝土筒仓设计规范》GB 50077—2003 中第 5 章强制条款的规定,并结合有色金属工程实际,作出"基底边缘处最小压力宜大于零"的规定。

10.3.6 对于混凝土受压构件,在荷载长期作用下,因混凝土的徐变会使混凝土压应力降低,而使钢筋的压应力增加。当支承槽罐中的储液卸空,荷载大为减少时,钢筋的弹性恢复使得混凝土可能处于受拉状态，严重时会出现横向裂缝。如果钢筋与混凝土的粘结很强，则同时会产生纵向裂缝。此现象已经被若干工程实测资料所证实，为防止上述裂缝的发展增大，对于承托储罐的储液较重且会出现卸空情况的支柱，其纵向配筋率最大值作出一定的限制是必要的。

10.3.7 位于地震区的筒（柱）承式基础的构造规定，主要依据现行国家标准《构筑物抗震设计规范》GB 50191等的有关规定，并结合有色金属工程实际加以制订。

关于"支承柱纵向钢筋的总配筋率不应大于2%"的规定理由可参见本规范第10.3.6条的条文说明。

支柱的箍筋一般沿柱全高加密，不仅有利于混凝土柱的抗剪能力，同时能提高核心混凝土强度及极限压应变，避免纵向钢筋压屈，加大支柱的安全性。

10.4 柔性基础

10.4.1～10.4.3 为了节约资源，充分利用天然地基承载能力，适应储罐使用的需求，我国石油化工系统通过多年的研究和工程实践，开发了经济适用且十分有效的钢制储罐柔性基础，并在石化、储运、有色金属等系统中得到了推广。

经工程进一步实施、检验后，目前已形成了现行国家标准《钢制储罐地基基础设计规范》GB 50473。本节规定的柔性基础即是从该标准中节录并编制而成的，在采用中应对照该标准执行。还可参照现行行业标准《石油化工球罐基础设计规范》SH/T 3062的相关规定。

10.4.4 柔性基础型式常用的主要有环墙式和护坡式两种，有时也可将环墙的直径加大，使钢储罐的竖壁不直接作用在环墙的顶部，构成所谓"外环墙式"，由于该型式在工程中应用少，本规范未列入，相关设计计算和构造可比照环墙式基础。

10.4.6 有关环墙式基础的计算公式，补充说明如下：

关于环墙厚度(b)的确定,式(10.4.6-3)是按环墙底部所承担的压强(P_1)与环墙内同一水平面压强(P_2)相等的条件,选用 β 作为因变量而求得。

$$\beta = 1 - \frac{g_k}{\gamma_L h_L b} - \frac{h}{h_L}\left(\frac{\gamma_c - \gamma_m}{\gamma_L}\right) \tag{8}$$

式中:β ——罐壁深入环墙顶面宽度系数;

g_k ——罐壁底端传给环墙顶端的线分布荷载标准值,当为浮顶罐时,应为罐壁含保温层的重量;当为固定顶罐时,应为罐壁和罐顶含保温层的重量(kN/m);

b ——环墙的厚度(m);

γ_L ——罐内正常使用时介质的重度(kN/m³);

γ_c ——环墙的重度(kN/m³);

γ_m ——环墙内各填料层的平均重度(kN/m³);

h_L ——环墙顶面至罐内最高储液面(介质)的高度(m);

h ——环墙的高度(m)。

10.4.7 当储罐基础设计等级为乙类及以上,或地基土过于软弱可能发生大的差异沉降时,储罐对地基沉降变形有明确的要求,应进行地基沉降变形的验算,应符合现行国家标准《建筑地基基础设计规范》GB 50007 的有关规定。地基沉降的限值应满足生产工艺的相关要求。

10.4.8 制订本条规定的原因在于:当不设置锚固螺栓时,储罐罐底与基础顶面依靠摩擦力维持稳定,在风荷载及地震作用下,其作用效应较小,与竖向荷载产生的效应相比可忽略不计。而当基础设置了锚固螺栓时,储罐与基础构成为一个整体,其风荷载及地震作用效应对基础将是不可忽视的。此外,由于锚固螺栓的存在,在水平荷载作用下,也改变了储罐竖壁的受力特性,在地震设防等级高的场地内,可能会导致储罐某侧竖壁下部的钢板发生局部屈曲失稳,造成安全事故。因此综合多种因素,需要对地震作用做相应的验算,应符合现行国家标准《构筑物抗震设计规范》GB 50191 的有关规定。

10.4.9 本条对柔性储罐基础的构造要求作出规定。

7 当环墙的弧长大于 40m 时,环墙应设置混凝土后浇带。这主要是考虑基础环墙混凝土施工、养护、墙内填料等不利因素作用,甚至在环墙投入使用初期就会出现裂缝的工程事故实例,因而规定了环墙弧长超过 40m 时,应设置减少温度影响的后浇带构造措施。

10.4.10 基础选用的相关材料,"沥青砂绝缘层应采用质地良好的中砂配置,含泥量不得大于 5%"以及砂垫层"不得含有有机杂质,含泥量不得大于 5%"两处所说的"含泥量"是指:混在砂子颗粒中的粉土、软塑或流塑状态的黏性土,其合计量应低于砂子总量的 5%,从而确保沥青砂的防渗性能和砂垫层的渗透性。

11 施工、安装、测试与防护

11.1 岩土与基础施工

Ⅰ 岩土工程勘察

11.1.1 设备基础在工程设计时,应当取得建设场地岩土工程勘察资料,这是为防止和避免工程安全事故或严重隐患必须强调的重要环节。随着国民经济的快速发展,有色金属工程设备大型化的趋势明显,一些大型、新颖设备基础对地基有着特定的要求。同时,许多新建工程场地建在山区、丘陵、峡谷区,地层复杂、变化大,工业场地间相互可比性差,必须重视岩土工程地质勘察的工作先行。

当遇到不良地质等因素,应当要求补充做专门的岩土工程勘察,这不仅要求工程勘察正确反映出场地和地基的工程条件,更重要的是,要求岩土工程勘察单位需结合工程实际、施工条件进行技术论证和分析评价,应通过报告书正式提供地基处理的措施与建议,为工程设计做好有力的咨询与支持。

11.1.2 有关岩土工程勘察的布点和勘察孔深度,其中储罐类设备基础是参考现行国家标准《钢制储罐地基基础设计规范》GB 50473,并结合有色金属工程特点加以制订的。当遇到较为复杂的储罐基础时,应按现行国家标准《钢制储罐地基基础设计规范》GB 50473—2008 第 3 章的相关规定选取。

11.1.3 在本规范第 3 章中,对需要获得的地基抗压刚度系数,除了以地基承载力特征值直接查表外,对超出该表范围的参数还可通过地基变形模量(E_0)值补充求得。而变形模量的实际取值宜由工程勘察原位测试获得。

此外,近年来境外工程逐渐增多,引进欧美设备较为普遍,在部分工程项目设计中,已突破现行的"质量-弹簧-阻尼"体系,采用"弹性半空间理论"。且在一些工程项目签约中,设备供货方直接要求设计按"弹性半空间"计算方法验算。为此涉及岩土工程勘察的若干资料。

鉴于以上因素和工程未来发展趋势,设备基础的岩土工程勘察需要依据工程设计验算要求,补充、增加变形模量(E_0)、动力剪切模量(G)、剪切波波速(U_s)、压缩波波速(U_P)、泊桑比(μ)等的勘察、测试,并提供相关资料。

Ⅱ 基础施工及验收

11.1.6 为便于大中型构架式基础的施工操作,可允许适当预留施工缝,但强调做好施工缝的处理,确保结构的整体性,充分满足其承受动力作用的要求。

11.1.12 严格执行工序交接程序是确保工程质量的重要措施。在设备正式安装之前,安装和土建两方责任人应对设备基础的定位、标高以及固定方法等进行复检、认定后正式签收交接。

在以往的设备安装过程中,经常出现土建设备基础施工完成后,没有按现行国家标准《机械设备安装工程施工及验收通用规范》GB 50231 的有关规定进行正常的验收和交接的情况,设备安装单位进场后对不满足安装要求的部位私自进行凿打、拆改或者返工重建。这既损伤了基础结构,打乱了工程进度,还造成了极大的资源浪费,影响了基础的使用寿命,所以强调应严格执行工序交接程序,杜绝此类情况的发生。

设备安装工程中,强调应严格自检、复检,执行工序交接程序,杜绝混乱情况的发生,劳民伤财的教训应当汲取。安装工程应强调执行本规定,有利于保证质量、倡导文明、利于节约。

11.2 机器的安装

Ⅰ 技术要求

11.2.4 汽轮发电机组的凝汽器重量的分配和力的作用,应随安装操作顺序而定。一般是先将凝汽器支承在支墩的弹簧上,然后再完成颈部的刚性连接,这样凝汽器本身的重量就全部由下部弹簧承受,而以后发生的凝汽器汽室或工作水室的充水重量则全部由基础上部结构承受;当部分充水后再完成颈部的连接,则荷载的分配将随之改变。

因此基础设计前应了解机器具体的安装要求,并应考虑荷载的最不利布置和组合,或者在图纸中注明相关的要求。

11.2.5～11.2.10 所有机器设备的安装含就位、调平、装配、紧固、密封等各个环节,以及针对各个机组含破碎机、压缩机、汽轮机等系统和管道、阀门、焊接等环节。操作规定与质量要求应分别符合各条文中对应的现行国家相关标准的有关规定。

Ⅱ 灌 浆 料

11.2.11 配合机器设备安装使用的灌浆料,是以高强度材质作为骨料,以水泥作为胶结剂,辅以高流态、微膨胀、防离析等成分配置而成。在使用前需在现场加入一定量的水,搅拌均匀后及时使用。

灌浆料具有自流性好、快硬、早强、高强,无收缩,微膨胀,自密性好,不老化,以及无毒无害,对环境无污染等特点。还具有质量可靠,缩短工期,降低成本,方便施工,充分满足设备受力和精确安装的技术要求,是目前安装工程中最为适用的技术和材料。

圆钢钢筋握裹强度,28d 强度大于或等于 4.0MPa,是依据现行行业标准《水泥基灌浆材料》JC/T 986 加以制订的。

灌浆料与混凝土的正拉粘接强度应大于或等于 2.5MPa,且为混凝土先破坏,是依据国家现行标准《混凝土结构加固设计规范》GB 50367 制订的。

11.2.12 依据浇筑的区位、厚度、主要用途以及工程的环境特征,灌浆料总的分类可分为普通灌浆料、加固专用灌浆料、裂缝修复灌浆料、防油专用灌浆料、耐热灌浆料、防冻灌浆料等,广泛地用于各类混凝土工程之中。现行国家标准《水泥基灌浆材料应用技术规范》GB/T 50448 将灌浆料分为Ⅰ、Ⅱ、Ⅲ、Ⅳ类,本规范依据 GB/T 50448 及现行国家标准《混凝土结构加固设计规范》GB 50367 制订本条规定,使用中可对照上述国家标准执行。

机器设备安装时,灌浆料主要用于螺栓锚固和二次灌浆等作业。在具体工程中所使用的灌浆料应根据项目特点和条件,以条文中表 11.2.12-1、表 11.2.12-2 的技术要求与工程拟采用的具体灌浆料技术参数(品牌说明书)加以对照后确定选用。

11.3 基础的测试

11.3.3 工程实践中,往往会遇到某种特殊、新引进的机器设备,以及某些在运行过程中可能改变工况或条件的机器设备。为了确保生产工艺实施,工程的有效控制,往往需要对机器设备及其基础做实时的检验、测试。按照预先的计划,通过设计、施工、安装、操作等环节的配合,运用必要的仪器、工具测定出相关数据,经分析论证后,检验和评定出该机器设备及其基础的使用功能、效果以及安全性、稳定性等结论和指标。

11.3.4 为保证检验、测试的准确、可靠与有效,采用的各种检测、计量的仪表、仪器和相关设备、工器具,其精度等级应满足被测定项目的技术要求,且应符合现行国家有关标准的规定。

11.4 基础的防护

11.4.4 在碱性介质腐蚀环境,设备基础主要是解决好材质表面的密实性。通常对混凝土强调选用非膨胀性水泥品种、合理的砂石级配、较低的水胶比。对强腐蚀环境则规定采用"耐碱混凝土",实际上是在上述措施中,增加了混凝土的抗渗性能要求,使材质更为密实,防腐蚀的要求更为严格。

11.4.5 在酸性介质腐蚀环境,设备基础的防护通常应与其相邻的地面防护接近或一致。一般采用的防护方法主要是外涂层、抹面、整体隔离层、贴耐酸面板等。

条文中规定的防护构造,大多是有色金属工程多年来常用、有效且节约投资的方案,可供工程中采用。也可依项目条件和工程经验,据实选用其他做法。

附录 A 简谐荷载作用下基础的振动计算

A.1 大块式、墙式基础

A.1.1 基组(机器、基础及基础底板台阶上的回填土的总称)的振动模式采用质点-弹簧-阻尼器体系,由于考虑了阻尼因素,因而计算结果比较符合实测值,同时还可以解决共振区的计算问题,使基础设计更趋经济合理。基组作为单质点,共有六个自由度,其振动可分为竖向、扭转、水平和回转四种形式,当基组总质心与基础底面形心位于同一竖直线上时,基组的竖向振动和扭转振动是独立的,而水平和回转振动则耦合在一起。

一般一台机器同时存在几种扰力和扰力矩,计算基础顶面控制点的振动线位移和振动幅值时,应分别计算各扰力和扰力矩作用下的振动计算值,当机器存在一谐、二谐扰力时,必须分别进行振动线位移和速度计算,然后按规定进行叠加。

A.1.2 本条给出了基组在通过其质心的竖向扰力 P_{zk} 作用下产生竖向振动,通过建立运动微分方程求得基组竖向振动固有圆频率 ω_{nz} 和基组质心处竖向线位移 d_z(基组各点的竖向线位移均相同)的计算公式。式中地基动力计算参数可由场地试验块体基础实测来确定,如无条件进行试验时,且又是一般动力机器的基础,可由本规范第 3 章求得,一般很难取准,需根据机器的扰力频率,按偏于安全的要求来选取地基动力参数。

A.1.3 扭转振动是在扭转力矩作用下发生的,总扭转力矩除包括机器的扭转力矩 $M_{\phi k}$ 外,还包括水平扰力 P_{xk} 向机组总质心 o 点平移形成的扭转力矩。基础顶面控制点一般指基础角点,此点水平扭转线位移最大,表示为 x、y 向分量。

A.1.4、A.1.5 水平回转耦合振动为双自由度体系振动,第一振型

为绕转心 o_1 回转,第二振型为绕转心 o_2 回转,通过建立运动微分方程求得基组水平回转耦合第一和第二振型固有圆频率 $\omega_{n\varphi1}$、$\omega_{n\varphi2}$、$\omega_{n\theta1}$、$\omega_{n\theta2}$ 和基础顶面控制点的竖向、水平向线位移值 $d_{z\varphi}$、$d_{x\varphi}$、$d_{z\theta}$、$d_{y\theta}$。但值得注意的是,在计算水平回转振动所引起的竖向振动线位移值 $d_{z\varphi}$、$d_{z\theta}$ 的公式中,并不包括因偏心竖向扰力 P_{zk} 平移至基组总质心而产生的基组在通过其质心的竖向扰力作用下的竖向振动线位移,因此当计算在回转力矩和竖向扰力偏心作用下,基础顶面控制点的竖向振动线位移,应将按式(A.1.4-1)、(A.1.5-1)计算所得的由回转力矩和竖向扰力偏心作用所产生的基础顶面控制点的竖向振动线位移 $d_{z\varphi}$、$d_{z\theta}$ 与按式(A.1.2-1)计算所得的基组在通过其质心的竖向扰力 P_{zk} 作用下的竖向振动线位移 d_z 相叠加。

基组在水平扰力标准值 P_{xk} 和竖向扰力标准值 P_{zk} 沿 x 向偏心距作用下,产生 x 向水平、绕 y 轴回转的耦合振动,其基础顶面角点的竖向和水平向振动线位移及其相应振动速度、振动加速度的计算,包括一谐扰力 P'_{zk}、P'_{xk} 和二谐扰力 P''_{zk}、P''_{xk} 及 $M'_{\varphi1}$、$M''_{\varphi1}$ 和 $M'_{\varphi2}$、$M''_{\varphi2}$,本条给出的计算公式是通式,实际计算中要分开考虑。

A.1.6 工程上经常遇到设置于厂房底层的中小型卧式或 L 形压缩机基础,当进行水平扰力作用下的动力计算时,x 向水平、绕 y 向回转的耦合振动的第一振型固有圆频率和基础顶面控制点的水平线位移计算都比较复杂,为此给出简化公式很有必要。在简化计算时作如下基本假定:

(1)把耦合振动分为水平、回转两个独立的单自由度的振动;

(2)振动线位移公式中的动力系数项不考虑阻尼因素;

(3)采用一定的假设,求得耦合振动第一振型固有圆频率的简化公式;

(4)基础为长方体,设置在厂房底层,露出地面 300mm;

(5)机器质量为基础质量的 10%~30%;

(6)基础埋深分别取 1.0m、1.5m、2.0m、2.5m。

采用计算机搜索计算,得出 ω_{nls}/ω_{nx} 只与 L/h 有关,经过一定的简化并考虑仅推荐扁平基础得出表 A.1.6,供设计者使用。

附录 B 部分机器的动力荷载计算

B.1 破碎机动力荷载近似计算

B.1.1～B.1.5 这几条给出了颚式、旋回式、圆锥式、锤式和反击式破碎机扰力计算的公式。在目前市场经济条件下,各厂家的设备型号和配件差别都很大,同种型号由于厂家不同,扰力也相差很大,尤其是目前市场上大量使用的破碎机都是由制造厂家自带橡胶减振支座,经过减振后传给基础的扰力(通常这种橡胶减振支座的各项物理指标是不提供给用户的)只能由厂家提供;所以在具体设计中应力求设备厂家提供其设备扰力的具体数据,只有这样才能使设计的基础与实际情况相吻合。如果设备厂家实在提供不了扰力,也可近似按本附录提供的公式来进行扰力计算,本规范提供的扰力计算公式没有考虑安装橡胶减振支座的情况。

B.2 活塞式压缩机动力荷载计算

B.2.1 本条强调了活塞式压缩机的扰力、扰力矩产生的原因,以及在计算扰力、扰力矩时注意活塞装置的布置方式和相互位置。

B.2.2 本条强调了计算活塞式压缩机的扰力时必要的设备资料,这些资料应该由设备制造厂家负责提供。

B.2.3 本条给出了活塞式压缩机连接的第 i 个活塞机构产生的一谐、二谐扰力计算的通式,设计者可根据图 B.2.3-1、图 B.2.3-2 更好地了解扰力产生的机理。

B.2.4 本条给出了活塞式压缩机产生的一谐、二谐竖向扰力标准值 P_{zk}、水平扰力标准值 P_{xk} 以及由各 P'_{zk}、P'_{xk} 所产生的回转扰力矩标准值 $M_{\theta k}$、扭转扰力矩标准值 $M_{\psi k}$ 的计算公式,配合图 B.2.4,设计者可以清楚了解活塞式压缩机扰力的产生及其组合。

B.2.5 为了方便设计,本条给出了一台机器主轴上连接的所有活塞机构均相同时,常用的各种活塞式机器一谐、二谐竖向扰力标准值 P_{zk}、水平扰力标准值 P_{xk} 以及由各 P_{zk}、P_{xk} 所产生的回转扰力矩标准值 $M_{\theta k}$,扭转扰力矩标准值 $M_{\psi k}$ 的最大值表格,设计者可根据工艺所选设备情况对照该表方便地计算出上述扰力、扰力矩。

对称平衡型机器是一种振动特性很好的机器,因其汽缸水平对称布置,因而各列汽缸产生的水平扰力大多相互抵消,仅存水平扭矩;加之机器转速较低(转速一般为 300r/min~428r/min),不易与基础产生共振,所以本表没有列出该类型机器的扰力。

附录 D 常用隔振器的动力性能参数计算

D.2 橡胶隔振器

D.2.2 串联式橡胶隔振器由橡胶与薄钢板交替叠合而成,与橡胶隔振器相比,其具有较高的竖向承载力与竖向刚度,但仍保留了橡胶的柔韧性。大量调查显示,串联式压缩型橡胶隔振器在有色金属行业内的各类破碎机隔振中大量使用,且隔振效果良好。但此类隔振器多为外方厂商(如 sandvik,metso)随设备自带,目前尚无此类隔振器的物理力学参数,如承载力、刚度、自振频率等,国内也无替代产品。这给各使用方的更新、替换带来困难。规范编制组查阅了大量叠层橡胶支座的技术文献,并进行了相关调研,给出了此类隔振器的承载力、刚度等相关技术参数的计算公式。

1 S_1 为隔振器的第一形状系数,定义为隔振器的承受竖向承载力的面积与橡胶总自由表面积之比;S_2 为隔振器的第二形状系数,定义为橡胶直径与橡胶总厚度之比。S_1 越大,源于钢板约束效应的竖向承载力也大,竖向刚度也高;S_2 越大,隔振器就越扁平,其稳定性就越好。用于建筑隔振的叠层橡胶支座要求 S_1 大于或等于 15、S_2 大于或等于 5,对机器隔振而言,其对承载力及刚度的要求易于满足,大量调查显示两个形状系数在 3～5 即可满足要求。

2 华中理工大学及日本等国的研究表明,橡胶的抗拉强度极低,一般不超过 1MPa,但具有较高的抗压强度,当形状系数满足 S_1 大于或等于 15、S_2 大于或等于 5 时,其极限压应力可达 100MPa 以上,建议的设计条件为 σ 小于或等于 15MPa 且大于或等于 0。这表明隔振器不允许出现拉应力,上限为 15MPa。本规范编写考虑到对隔振器的形状系数要求较低(为 3～5),所以将容许应力取值为 5MPa。

3 理论与试验研究表明,隔振器的水平刚度与橡胶直径成正比,并与形状系数、压缩应力有很强的依赖关系。但当形状系数满足 S_1 大于或等于 15、S_2 大于或等于 5 时,压缩荷载的变动对水平刚度的影响较小,其水平刚度有如下较为简单的计算公式:

$$k_x = \frac{\pi D}{4}GS_2 \tag{9}$$

但本规范对隔振器的形状系数要求并不满足上述要求。因此,隔振器的水平刚度计算采用了日本藤田聪提出的考虑竖向荷载作用时的经验计算公式。

附录 E 地脚螺栓

E.0.4 可拆卸螺栓的构造是螺杆穿过埋设于基础中的套管,下端以 T 形头、固定板或螺帽固定,在套管上端 200mm 范围内,填塞浸油麻丝予以覆盖保护,可拆卸螺栓的常用形式有 T 形头螺栓、拧入式螺栓、对拧螺栓等。T 形头螺栓的预埋套管端部钢板的焊接挡板要注意方向,曾经有过固定方向焊错不能拧紧上部螺栓的情况,此部分设备不会配套带来,均由施工单位现场加工,所以应特别注意。

E.0.9 锚板地脚螺栓有两种:一种是在螺栓直杆下端焊上带有加劲肋的锚板[图 E.0.9-4(a)],锚板为方形,边长 C 大于或等于 $5d$,锚板厚度可按表 E.0.9-3 采用;另一种是用螺帽把锚板拧紧在螺杆上,见图 E.0.9-4(b)。

E.0.11 地脚螺栓的拧紧应符合现行国家标准《机械设备安装工程施工及验收规范》GB 50231、《风机、压缩机、泵安装工程施工及验收规范》GB 50275、《破碎、粉磨设备安装工程施工及验收通用规范》GB 50276 等的规定。